〈弱いロボット〉から考える

―人・社会・生きること

岡田美智男

岩波ジュニア新書 989

まえがき

つい先日のこと、たまたま「気持ちがへこんだ！」と書こうとして、かな漢字変換システムが「凹」という漢字を教えてくれました。「へこんだ」がなんと「凹《へこ》んだ」になるんですね。「へー、すごい。そのまんまじゃないか！　こんな漢字があったんだぁ……」と感心してしまいました。まぁ、いろいろな発見があって楽しいものです。

これ(凹)とペアとなっている字(凸)などもあって、この「凹」と「凸」の二つの組み合わせも、なかなかおもしろいものです。「凸凹」を「でこぼこ」と読ませたかと思えば、「凹凸」は「オウトツ」になるのです。

「凹む」は「へこむ」と読むことはわかりました。では、「凸む」はなんと読むのでしょう。せっかくの機会ですので、国語の先生などにたずねてみましょう。(「ふくらむ」と読んでもよさそうなものですが、正解は「つばくむ」です。いまではほとんど使われていないそうです。国語の先生を凹ませるチャンスかもしれませんよ。)

それはさておき、わたしたちの暮らしの中では、ときどき凹んでしまうことに出会います（そうなんです、ここで使いたかったのです！）。先日、久しぶりにドイツに行く機会がありました。仕事ですからねぇ、それほどウキウキしてばかりもいられないし、いろんな準備も必要になります。

「わーっ」と急いで荷造りをして、飛行機に乗り込むことが出来ました。そしていよいよ「当機は、まもなくフランクフルト国際空港に……」とばかり、無事にドイツに降り立ったのです。あとは電車に乗って、フランクフルト中央駅まで行き、近場の宿までたどり着ければ、「きょうの仕事はおしまい！」のはずでした。ところが宿に向かおうとして、予約したはずの宿の情報をどこにもメモってなかったことに気づいたのです。

すかさずスマホでチェックしようにも、ネットワークにつながりません。「あれっ、どうした？」、「そうか、ここは海外なのか……」とばかり、データローミングの設定など、焦っているときには気が回らないものです。路上でパソコンを開いてみるも、状況は同じことでした。

「うー、なんてことだ……」

「あれは、なんていうホテルだったか……」

予約したときの記憶をたどりながら、それらしき通りをうろついてみたのですが、なかなか見当たりません。小雨でも降りそうな夕暮れ近くに、見知らぬ街をさまよい歩くのはなんとも辛いもの。「宿の情報くらい、プリントしておけばよかった……」と後悔しきり、これではせっかくのドイツでの街歩きも台無しです。石畳《いしだたみ》の上で、しばらくオロオロしてしまいました。

で、万事休す……。とりあえず、どこかでネット回線を借りなければと思い、ちょっと目についたホテルに飛び込み、「あのー」って情けない声で事情を説明しました。よほどの困り顔だったらしく、フロントの女性の顔はやけににっこり……。「こんなときに恋が芽生えるんだろうなぁ」、「うっ、これでは吊り橋効果にまんまとハマってしまうではないか」などと思いつつ、そこでネットに接続して、ようやくホテルの予約サイトにアクセスできたのです。

ドイツの石畳

すると、なんのことはない、たまたま飛び込んだところが予約してあったホテルであり、なんとか事なきを得たのです。ホテルの看板にあった、過剰に装飾されたフォントをうらめしく思いました。これでは気づくはずもありません。

どうして、せっかくのドイツの街中で凹みそうになったのか。改めて考えてみると、いくつかの理由がありそうです。

まぁ、単純に考えれば、うっかりメモしておくのを忘れていただけのこと。あわてて準備をしたからなのです。もう一つは、「日頃から、ネットにどっぷり浸りすぎていた!」と考えてもよさそうです。ネットから切り離されてみると、とても脆《もろ》いものだなぁと改めて思いました。

これらは、うっかりしていた、十分な準備を怠《おこた》ったという、個人的なことに片付けられてしまう些細《ささい》なことですが、もう少し根が深そうに思うのです。

それは、「最近の情報技術の助けもあって、じぶんですべて予約できてしまう!」、「自己完結できてしまう!」ということです。もちろん、「いつの間にか、とても利便性の高い社会になっていた、これはこれでいいのでは……」との考えもあるでしょう。

異国の地にある宿ばかりか、列車のチケットやタクシーまでも予約できてしまう。予定通りに行動でき、目的地まで時間通りにたどり着ける。ホテル側もタクシー屋さんも、余分な手間や無駄を省くことができ、料金も格安になる。経済的な合理性の観点からは、願ったり叶《かな》ったりというわけです。

ただ、どうも腑《ふ》に落ちません。どうして、地球の裏側から、現地の宿や列車、タクシーまでも予約しようとしているのか。グーグルマップなどの助けを借りれば、事前に旅先の街の様子も眺められます。とても便利なものだけれど、なにか大切なものを失っているようにも思えるのです。

かつては、どうだったのでしょう。「どうなってしまうかわからない。けれども、とりあえず一歩を踏み出せば、地面がそっと支えてくれる！」というように、どこでも宿に飛び込めば、空き部屋が十分に用意されており、その土地に行けば、タクシードライバーはちゃんと笑顔で待っていてくれた。もっともっと相互に委《ゆだ》ねあった社会だったように思うのです。

どちらが「豊かな社会」といえるのか。自己完結でき、それなりの利便性をありがたいと思うのか、それともその豊かさをまわりとの関係性に求めるのか……。「その土地が冷たく、やせ細ってしまっていた……」と、そんなメタファで捉《とら》えるなら、経済的合理性や効率性の名のもとに、いつの間にか、わたしたちを取り囲んでいる社会システムが冷たく、やせ細ってしまっていた、それを情報技術が後押ししていたとしたら……。

ドイツでの仕事の合間に、ひとしきり、そんな屁理屈《へりくつ》を考えていたら、次の災難が待ち構えていました。「帰りの便が台風のために欠航に……」とのメールが届いたのです。「うー、またか……」と凹むことしきり。混乱の最中にあっては、航空会社の相談窓口にもなかなかつながりません。でも、「仕事も無事に終わったし、あとはなるようになれ！」の心境です。なんとか帰りの便を見つけてもらい、中国の成都を経由し、ほぼ二日がかりで家路に……。途中の成都で食べた「汁なし担々麺《たんたんめん》」は、疲れ切った身体には塩辛いだけでしたが、とても思い出に残る小旅行(いや、出張です！)となったのです。

いまの社会は他者に頼らずとも、そこそこ自己完結できてしまう。自己責任論といって、それを求めている側面もあると思います。でも、まわりに委ねることの出来ない(つまり信頼を欠いた)社会というのは、とかく高コストになりがちです。しかも、いざというとき、なんだかとても脆いようなのです。

本書では、「ひたすら完全無欠を目指すのか」、それとも「まわりに半ば委ねつつ、まわりとの豊かな関係性を目指すのか」、これらをさまざまな角度から対比しつつ、議論してみたいと思っています。そこで手がかりとするのは、筆者らの研究してきた〈弱いロボット〉と呼んでいる、ちょっと情けないロボットたちです。

自らではゴミを拾えないものの、まわりの子どもたちの手を借りながら、結果としてゴミを拾い集めてしまう〈ゴミ箱ロボット〉、街角にたたずみながら、そこを行き交う人に、モジモジしながらティッシュを配ろうとする〈アイ・ボーンズ〉、子どもたちに昔話を語り聞かせようとするも、ときどき大切な言葉をモノ忘れしてしまう〈トーキング・ボーンズ〉など、本来は自己完結を目指すべきロボットが、まわりの人の手を借りないと、なにも出来ないような〈弱い〉存在であったらどうか……。

これはロボットだけのことではなさそうです。まわりに半ば委ねつつ、まわりとの豊かな関係性を志向する〈弱いロボット〉たちの行動様式は、わたしたち自身やわたしたちの社会について見直していく、新たな視点を提供してくれるように思うのです。

本書は、次の5つの章から構成されています。

第1章では、わたしたちの代表的な〈弱いロボット〉である、〈ゴミ箱ロボット〉について紹介します。これまで「自律したロボットなのだから、誰の力も借りずに、ひとりで行えるように！」との期待の中で、なんだか無理をしてきたようです。ちょっと肩の力を抜いて、まわりの手を借りてしまってはどうか。それはロボットのみならず、わたしたちにも当てはまることかもしれません。

たとえば、アイディアを生みだすような場面ではどうでしょう。アイディアって、本来は自分の中で考えて、じっくり温めていくものではないのか。そんなふうに思われることでしょう。でも、「なにげない問い」や「ちょっとした思いつき」を外に開いてみると、意外にも、豊かなアイディアとして膨《ふく》らんでいくことが多いのです。ここでは〈ゴミ箱ロボット〉などが生みだされた「現場」に密着しながら、なにげないアイディアをみんなで生みだし、育てていくプロセスなどを紹介してみたいと思います。

第2章では、一つの研究分野がどのようにして生まれ、進化していくのかを見ていくことにします。プロの研究者の集まる研究所での研究活動とは、どのようなものなのか。しっかりした研究計画の下で行われるようなイメージもあるかもしれません。しかし、あまりに合理的に、計画的に考えすぎると、新たな発見や思いがけない出会いのチャンスを逃してしまうことも多いのです。

筆者らの研究テーマがどのように変遷してきたのかを振り返ってみると、意外にも、あっちにぶつかり、こっちにぶつかり……。むしろ、こうした行き当たりばったりの中からヒントをつかみ取ってきたようです。ここでは「ブリコラージュ」、「野生の思考」、「弱者の戦法」などと呼ばれる、あり合わせのものを上手に生かしながら、「幸運な出会い」を引き込むためのコツについて考えてみます。

第3章では、新たな学びのスタイルについて見ていこうと思います。「学び」も個人的な活動のように思われがちですが、むしろまわりとの豊かな関係性の中で生起する側面もあると思うのです。協働的な学びとはどういうものか、を具体的に見ていくために、たくさんの〈弱いロボット〉を生みだしてきた、わたしたちのラボの様子を紹介してみます。

学校教育では「テストはひとりで受けるもの、誰の手も借りてはいけない！」との不文律があるためか、「なんとか自分ひとりで、ロボットを作ってみよう！」と思われる学生も多いのです。ただ、新たなロボットを生みだす活動は、自分の学びのためだけではなく、誰かに喜んでもらうための文化的な活動だと思うのです。ここでは、「学びとは、文化的実践への参加だ！」との言葉を手がかりに、みんなでオリジナルなロボットを生みだすことの楽しさやコツについて考えてみます。

第4章では、ちょっと情けない、わたしの学生時代を振り返ってみます。なぜ、いつもモジモジ、オドオドしていたのか。それがどんなきっかけで吹っ切れたのか。

わたしたちも、〈弱いロボット〉たちも、自らの中に閉じていたのでは「弱い」ままです。しかし、まわりに半ば委ねるように、自分を開いてみると、まわりとの間でとてもしなやかな関係性が生まれてくるのです。〈弱いロボット〉のベースにある、「その作り込みを最小にせよ。その多くを環境に委ねよ！」とのチープデザインの考え方を手がかりに、レジリエントな生き方について考えてみます。

最後の第5章では、〈弱いロボット〉と人との持ちつ持たれつの関係を一般の社会にも展開してみたいと思います。

利便性や効率性の追求によって、わたしたちの暮らしはもっと豊かなものになると多くの人は考えてきました。ところが「もっと、もっと」と要求水準をエスカレートさせてしまうなど、一方的な利便性の追求がわたしたちの傲慢《ごうまん》さや不寛容さを引き出してしまう側面もあるようです。

テクノロジーは本当にわたしたちを幸せなものにしているのか、そんな「問い」も各所で生まれています。ここでは、お互いの主体性や自律性を奪うことなく、ゆるく依存しあった

「コンヴィヴィアルなかかわり」や、自らの能力が十分に生かされ、生き生きとした幸せな状態を指す「ウェルビーイング」について、くわえて「社会のレジリエンス」を高める方略について、〈弱いロボット〉たちの視点も借りながら考えてみます。

本書の内容も、〈弱いロボット〉たちと同じように、まだまだ不完全なところ、漠然としたところも残っていることでしょう。ただ、この本の中だけで完結させようとも、完結できるとも思っていません。せっかくの機会ですので、読者のみなさんにも、その解釈の多くを委ねてみたいと思っています。

どうぞ、ごゆっくりお付きあいください。

目　次

章扉・帯（ロボット）イラスト＝浜野　史

第1章 他者とのかかわりを志向する〈弱いロボット〉

えっ、弱いロボット!?　それは、どんな?

✿テーブルを囲んでの雑談から

「段ボール箱のようなロボットって、どうだろう……」

「えっ、段ボール箱ですか……」


のっけから「どうだろう……」といわれても、困ってしまうでしょうか。わたしたちの仕事は、いつもこんな風にして始まります。

いわば大きなテーブルを囲んでの雑談のようなもの。なにか明確なテーマがあって議論するというより、ちょっとした思いつきを重ねながら、少しずつアイディアを膨《ふく》らませていくのです。


「段ボール箱の中に子犬が紛れ込んでいて、ゴソゴソと動いているとか……」

「へー、おもしろいかも。その名もダンボー！」

「えっ、それって、どこかで聞いたような……」

「でも、それかわいい。段ボール箱型のヤドカリ君だね……」

「ごそごそ動いているんだけど、周囲の音に気づいて、その動きをピタッと止める！」

「で、なにごともないとわかると、またゴソゴソと動き出す……」

「ゴソゴソもいいけれど、ヨタヨタと歩いているっていうのは？」

「人に出会うと、大きな段ボール箱を屈めるようにして会釈するとか……」

「段ボール箱には穴が開いていて、そこから外を眺めているだけの、妙なロボット！」

「それって、まさに〝箱男〟だね」

「なんか、どんどんシュールな世界になってきたなぁ」

「その〝箱男〟風のロボットもいいんだけど、もっと素朴なものは……」


こうした場を盛り上げていくためのポイントがいくつか知られています。

その一つは、「質よりも量を！」ということ。「もっと気の利いたアイディアはないか……」などと考えていると、その場はどんどん重たいものになってしまいます。「沈黙は金！」ではなく、むしろ「沈黙は禁！」なのです。なにも遠慮することはありません。思いついたまま、感じたままをポンポンと口にしてみるのです。

それと、それぞれのアイディアをできるだけポジティブに捉《とら》えてみるのです。「しょうもなぁ……」などと思わず口にしそうになったら、「へー、おもしろいかも！」と一旦は肯定しながら、そこに新たなアイディアを加えていく。個々のアイディアを競いあうのではなく、一緒に膨らませていくわけです。

もう一つの大切なポイントは、むしろ「未完成なアイディア、暫定的《ざんていてき》なアイディアの方がいい」ということ。とにかく思いついたままをポンポンと口にしてみる。それは沈黙を避けるためだけではありません。「どうして、そんなことを考えるかなぁ……」というように、一つのフックとなって、いろいろなアイディアを引き込みやすいのです。

これまで学生たちの多くは、「自分の意見を述べるときには、きちんと頭の中で整理してから、論理だった言葉で！」と教えられてきたと思うのです。たしかに、プレゼンの場など、きちんと自分の考えを述べることが必要な場面もあるでしょう。ただ、みんなでアイディアを膨らませていくとき、あまりに自己完結した、完成されたアイディアというのは、他の人のアイディアや参加をむしろ遠ざけてしまうようです。

先ほどの場面にもう一度戻ってみましょう。

「段ボール箱には穴が開いていて、そこから外を眺めているだけの妙なロボット！」

「それって、まさに〝箱男〟だね」

「なんか、どんどんシュールな世界になってきたなぁ」

みんなの雑談の中で、「段ボール箱に穴の開いた、妙なロボット」というイメージまで膨らんできました。そこに、「それって、まさに〝箱男〟だね」というドンピシャなコメントが入ります。阿部公房《あべこうぼう》という小説家の描いたシュールな世界を思い出して、思わず口にしたのでしょう。

でも、〝箱男〟という小説を読んだ人でなければ、そのイメージを共有することは出来ません。「段ボール箱に穴の開いた、妙なロボット。それは〝箱男〟そのものだよ！」と小説に登場する男の姿を説明することで、せっかく膨らんできたイメージを壊してしまうことに。しかもその一言が他の人のアイディアを遠ざけることとなって、せっかくの盛り上がりもしぼんでしまいそうな雲行きなのです。

ポロッと出た言葉が風向きを変えてしまいました。

「その〝箱男〟風のロボットもいいんだけど、もっと素朴なものは……」

冒頭でも、「段ボール箱のようなロボットって、どうだろう……」と言葉にしてみたものの、それはちょっとした思いつきで、なにか見通しがあったわけではありません。アイディアとは呼べないような、未完成で暫定的なもの。しかし、そのぼんやりとしたイメージは、ちょっとしたひろがりをもち、他の人たちにも開かれていたのです。

他愛もなく繰り出された「段ボール箱のロボットはどうか……」という言葉によって、みんなの中に、それぞれのイメージが生まれ、それが「ダンボー!」というネーミングや「段ボール箱をかぶったヤドカリ君」に飛び火した。また「段ボール箱をかぶってヨタヨタと歩く姿」は、ある人には、かつて読んだことのある〝箱男〟という小説を連想させることに。ただ、「阿部公房の深遠な世界からは脱出しなくては……」、「それでは、ただの〝箱男〟型のロボットになってしまうではないか……」というわけで、もともとの素朴な段ボール箱のイメージに引き戻そうとして出てきた言葉だったのです。

✿ぼんやりと心に描いてみる

なにげなく踏み出した一歩によって、目の前の風景がどんどんひろがっていき、そこで見えてきた景色に触発されて、さらにもう一歩を踏み出したくなる。そこで思わぬ袋小路に入り込んでは、元の場所に引き返してみたり、思ってもいなかった世界にたどり着くことになったり……。「段ボール箱のようなロボット」をめぐって、どこか見知らぬ土地を旅しているような感覚になっていきました。

さて、冒頭にて「わたしたちの仕事はこんな風にして始まる」と述べました。この「段ボール箱のようなロボットって、どうだろう」という問いは、どんな意味をもつものなのか。新たな研究を始めるときの「問い」(Research Question)としては、どうもナイーブすぎるようです。


「どうして、そんなロボットを考える必要があるの？」

「その段ボール箱というのは、選択肢として最適なの？」

「背景となる理論は？」

「そんないい加減な理論武装でだいじょうぶ？」

「で、どんなところで役立つというの？」

こうした厳しい追及にはとても耐えられそうにありません。でも、「とりあえずの一歩を踏み出すことで、見えてくる世界もあるのではないか……」という気持ちもあるのです。初めから、ある理論の下で明確に説明できるようなものなら、新たに一歩を踏み出してみる価値もないのでは……と。

先の「～はどうだろう」は、学術的な「問い」として認められないなら、それはどんな意味をもつものなのか。これまで心のどこかでモヤモヤしていたのです。「わたしたちの活動は、学術的な研究とはいえないのか……」、「まぁ、段ボール箱のようなロボットじゃ、そもそも研究になるわけないか……」と。

そんなときに、たまたまconceiveという言葉に出会いました。まぁ、出会ったというより、これまで知らなかったわけです。「心に描いてみる」、「思いつく、着想する」……。なるほど、なにかぴったりと当てはまります。「あっ、そうか。わたしたちのしていたことは、このconceiveするという活動だったのか」というわけです。

このconceiveの名詞形は、よく知られているconceptです。心に描いてみた、あるいは着想した結果として、それが明確な形になったときに「コンセプト」となるわけです。ただ、conceiveという言葉は、「新たなコンセプトを生みだす」というより、その一歩手前で、ぼんやりと心に描いてみる、「それはどういうものになるのか、まだわからないけれど……」という感じなのです。

もう一つ、この「～はどうだろう」にも、ちょっとした秘密が隠されています。自分自身に向けた「～はどうか」(＝自問自答)でもあるのですが、くわえてまわりに半ば開いている。自分の思いを一方的に述べるというより、ほんの少しまわりに委ねているわけです。

先ほどの「ぼんやりとした」、「暫定的な」、「未完成な」ということにも重なるでしょう。自らの中に閉じるのではなく、まわりに半ば委ねてみる。そこで一緒になってアイディアを作りあげていく。そんなスタイルにも思えるのです。


「パソコンそのものがもっと柔らかなものだったらどうだろう……」

「手のひらにのるくらいの、もっとちっちゃいロボットを作れないか……」

「手をつないで、ただ一緒に歩くだけのロボットっていうのはどうか……」

「フラフラしていて、部屋の中をさまようだけのロボットはどう?」

「クルマが生き物のようなものだったら……」

わたしたちの仕事を進めていく上では、どこか「出会い」という要素も大きくて、「どうなってしまうかわからないけれど、とりあえず一歩を踏み出してみる」、そして「当てもなく、ちょっとぶらついてみる」ことが必要なのです。後から振り返ってみると、「あのときの、ちょっとした思いつきやアイディアがいまに続いていたんだなぁ……」と思い当たることもいろいろとあるのです。

ちゃんとした地図や詳細な計画を抱えての旅行では、目的としていた地に足を運び、その風景を確認するだけで終わってしまいます。研究活動やモノ作りは、一種の探索行為であり、「当てもなくぶらついてみないことには、始まらない」、「とりあえず、カタチにしてみないことには……」という側面も多いのです。なにげなく「心に描いてみる」、そして「とりあえず、手を動かしてみる」というのは、いつか思ってもいなかった世界にたどり着くための、大切な一歩なのです。

ゴミ箱の姿をしたロボットはどうか……

「段ボール箱のようなロボット」は、その後、具体的なカタチとなることはありませんでした。「段ボール箱」がフラフラと歩くだけ……、それでどんなことがいえるのか。わたしたちとのかかわりを生みだすための手がかりを欠いていたようです。あるいは、外とのかかわりを断とうとしていた〝箱男〟のイメージに引きずられすぎて、思考停止してしまったようです。ただ、それで終わってしまったのではなく、「段ボール箱」はいろいろなモノに姿を変えて登場します。その一つが「箱」つながりの「ゴミ箱」でした。

ただの段ボール箱では、抽象的すぎてイマイチ。ならば「ゴミ箱」ではどうだろうというわけです。これも、ただ「どうだろう……」といわれても、あまりイメージはわかないでしょうか。でも、壊れかけた「ゴミ箱」を背負って、ヨタヨタと歩いているヤドカリ君の姿などを思い浮かべてみてください。どこかひょうきんでおもしろそうなのです。

「えっ、またヤドカリ君なの？　拘《こだわ》るねぇ！」

「街の片隅で、ゴミを拾い集めようとウロウロしているとか……」

「ヤドカリ君がゴミだらけになった地球を救おうと……」

「ちょっと映画にあったような……、あれ、なんだっけ？」

「そういえば、ヤドカリの手足って、どんな感じなんだっけ？　ちっちゃいよね！」

「ゴミを摘《つま》めたとしても、自分の背負うゴミ箱まで手が届かない……」

「でも、懸命にゴミを摘もうとする姿って、なんだかかわいい！」
「ときどき側溝に片足を踏み外して、もがいているとか……」
「そこを通りかかった人に助けてもらったりして」
「で、ちょっとした愛情が芽生え始めるとか……」
「へ〜、なんか、いい感じ！」

こうして、いろいろと想像を膨らませるのは楽しいものですが、そろそろ手を動かして作ってみた方が早そうです。

さっそく、近所の雑貨屋さんをうろついてみました。そこでたまたま見つけたのは、お風呂場の脱衣所などで脱衣カゴとして使われる「ランドリーバスケット」です。円筒形で、素材はちょっと厚めのコットン。軽く手で押してみると、いい感じでくぼんで、そのカタチを変えるのです。

これを使って、簡単なイメージビデオを作ってみたらどうか……。

ランドリーバスケットを床の上に置いて、ちょっと歪《ゆが》ませてはパチリ。そっと歩を進めるようにしてパチリ、わずかに捻《ひね》りを入れてパチリ。いわゆる「ストップモーションムービー」と呼ばれるものです。これを丹念に繰り返してみると、ちょっとした映像になりました。

「おっ、なかなか堂々とした、ゴミ箱の行進です！」

「でも、ちょっと足元が気になるのか、ほんの少し立ち止まる……」

「うっ、どうした……」

「あっ、また何もなかったように歩きだしました……」

「おっ、これはいけるんじゃないか？」

「このヨタヨタした感じがかわいい。なんか、生き物みたい……」

これはアニメーションのなせる技でしょう。静止した状態では、ただの「ゴミ箱」(いや、ランドリーバスケット！)だったにもかかわらず、映像が動き出した途端に、あたかも「生き物」のように見えてきたのです(図1・1)。

図1・1 ストップモーションムービーによって〈ゴミ箱ロボット〉に生まれ変わったランドリーバスケット

「どこに進もうとするのか？」、「なにをしようとしているのか?」、いろいろと想像が膨らんできます。ちょっと立ち止まっては、なにかを思案しているような……。ポイントは、やはりヨタヨタした動き、そして、なにかに向かおうとする姿のようです。

✿あり合わせの部品をかき集めてきて……

この映像に触発されて、早速、ラボの学生たちがランドリーバスケットに細工を始めました。ギーギーとギアの音が聞こえてきそうなモータ、それを制御するためのコントローラ(＝マイコン)、マイコンの入っていた空き缶のフタで作ったホイール、ウェブカメラ、そしてバッテリーなど、ジャンクの中から必要な電子部品を拾ってきて、急場しのぎで組み立てられたのは、「ゴミ箱の姿をしたロボット」でした。

ランドリーバスケットの底のところに、モータやホイールがむき出しに取り付けられており、左右のホイールが交互に動くのです。カニ歩きのような動作に合わせて、ランドリーバスケットもゆらゆら……。頭の中で思い描いていた「ゴミ箱を背負ったヤドカリ君」そのものでした。やはり実際に動いている姿にはかなわないものです。ストップモーションムービーで見ていた姿にも増して、とてもひょうきんでかわいいのです。

「あれっ、どこに向かおうとしてるんだろう」

「ちょっと立ち止まっては、あたりをうかがう……」

「ゴミでも、探そうとしてるんじゃない？　ゴミ箱なんだから……」


ランドリーバスケットには顔も背中もないはずです。ところがどうでしょう、どこかに向かおうとする姿に、はっきりと顔も背中も見て取れるのです。思わず、そこに顔のようなものを重ねてしまうのです。たまたま取り付けたはずのカメラのレンズは、どうみても「目」にしか見えません。ちょっと安手のモータのギア音も、「ギィ、ギィ」、「ギィ、ギィ」となにか鳴き声のように聞こえてきます。


「でもさぁ、ゴミでも探そうとしている……って、ホントなの？」

「ランドリーバスケットに、そんな気持ちはあるの？」

「まぁ、それはそうなんだけど……」

これはどういうことなのか。「ゴミ箱の姿をしたロボット」をただヨタヨタと動かしただけなのに、ゴミでも探しているように見えてしまう。改めて考えれば、ランドリーバスケットにそんな気持ちなどないはずです。ただのモノなのですから……。

✿ロボットの振舞いをどう解釈するのか

アリストテレスの「自然は真空《しんくう》を嫌う」との指摘と同様に、わたしたち人も「意味の真空状態を嫌う」といわれています。目の前の事象に対して、思わず意味づけしてしまうようなのです。目の前で、ランドリーバスケットなどがヨタヨタと前方に進む。その姿を目にして、「あれっ、どうした……」と、そのワケや次の振舞いがとても気になってしまいます。防衛本能などもあってのことでしょうか。

「どこに進もうとしているの?」、「なにかの拍子に倒れることはないの?」、「そもそも、なぜ歩いているの?」、「なにか探しものでもしているのか?」と、「その動きの背後には、どんな仕組みや狙いがあるのか」などを、とっさに探ろうとするのです。

ここでも、いろいろな推測が出来そうです。

「ただのモノなんだから、そのうちバランスを崩して、倒れてしまうのではないか」

「いや、誰かに仕組まれたキカイなんじゃないのか」

「そうそう、そういう風にプログラムされているだけだよ」

「でも、どうみても生き物みたい！」

「なにか目的があって、どこかに向かおうとしているようにしか見えないんだけど……」


いずれかの原因に帰属させて、その行動の先を読みつつ、それに構えようとする。「帰属させる」とは、「とりあえず、なにかのせいにしておく」という感じでしょうか。「なにかを探しまわっているのでは……。だから、ときどき立ち止まり、あたりをうかがっているんだよ」と、いろいろな手がかりに基づいて、目の前の行動を自分なりに説明してみる。それで矛盾がなければ、ひとまず納得というわけです。

ここでポイントとなるのは、「どう解釈してもいいのですよ。あなたの勝手ですよ」ということ。わたしたちがどんな手がかりを利用して、どう判断するのか。このランドリーバスケットの振舞いは、その解釈をわたしたちに半ば委ねているといえます。

こんな風に、「ゴミ箱の姿をしたロボット」（図1・2）を動かしてみることで、いろいろな気づきもありました。一つは、ロボットの「生き物らしさ」を考えるとき、「それほどカタチに拘る必要はないし、ロボット側だけで閉じる必要もなさそうだ」ということです。せっかくなので、まわりの人の「想像力」という助けを借りてしまおう。そのために最小限の手がかりだけを残せばいいということです。

こうした考え方は、わたしたちのロボット作りのベースとなっている、ロボットの〈ミニマルデザイン〉あるいは〈引き算としてのデザイン〉につながっています。「必ずしも、生き物の姿に似せる必要はない」、「そんなに精緻なロボットを考えなくてもいい」、このように捉えてみると、ちょっとホッとするところもありました。

「じゃ、どこまでシンプルにできるのかなぁ……」
「引き算するとか、そぎ落とすって、要するに、なにを手がかりとして残すかだよなぁ」
「じゃ、やはり段ボール箱でよかったってこと?」
「えっ、そこまで戻ってしまうの……」

このことはロボットの「ひとらしさ」についても、当てはまりそうです。そもそもヒト型のロボットは、それほどたやすく作れるものではありません。そんなこともあり、少し距離を置いてきました。あまり表情や容姿のリアルさに拘ってばかりでは、「ひとらしさ」についてミスリードしてしまう可能性もあるのでは……と思ったのです。

ひょっとしたら「ひとらしさ」を追求するのでも、必ずしもヒトの顔や容姿に拘る必要はないのではないか。「ゴミ箱の姿をしたロボット」でも、「生き物らしさ」や「ひとらしさ」などを追求できるのではないか。せっかくなので、ヒトからもっと遠そうな「ゴミ箱」あたりから、「ひとらしさ」を考えるのもおもしろそう……というわけです。

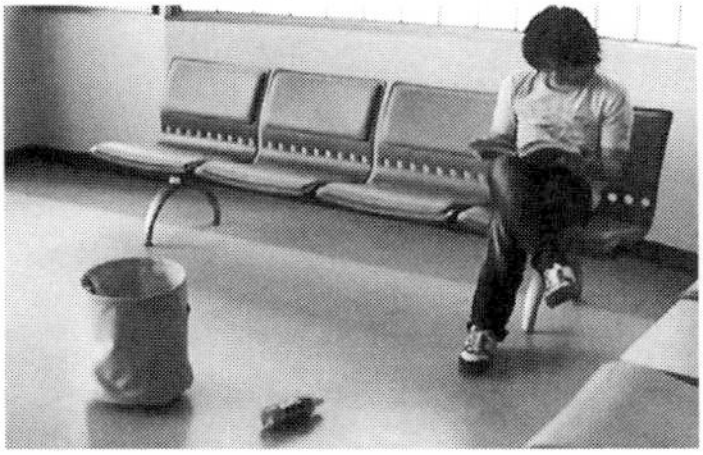
図 1・2　初期の〈ゴミ箱ロボット〉（2006 年頃）

子どもたちとのファーストコンタクト

ただ、こうして「もしや……なのでは……」と思いをめぐらせていても、次なる展開はなかなか見えてきません。そこで、手作りしてきたロボットたちを子ども向けの施設に連れ出してみることにしました。子どもたちは「ゴミ箱の姿をしたロボット」をどう捉えるのか。まだまだ研究の「問い」としては甘いのですが、ちょっと興味のあるところです。

「なにも関心を示すことなく、そのままスルーとか……」
「いや、ボコボコにされてしまう、っていうのもアリかもね」
「小さな子どもにぶつかって、ケガをさせたりしないのか……」

実際のところは、どのような様子なのでしょう。広場で遊んでいた子どもたちは、「ゴミ箱の姿をしたロボット」たちに気づくと、めいめいに近づいてきました(図1・3)。

彼らの反応はさまざまです。ロボットたちの近くで立ち止まったまま、その様子を不思議そうに観察している者もいれば、腰をかがめるようにして下からのぞきこんだり、目(＝カメラ)のところに手をかざしてみる子どもたちも……。大胆にも「ゴミ箱」を手にして揺すってみたり、持ち上げてみたり。得体の知れないモノのままでは落ち着かないのか、子どもたちはそれぞれのやりかたで、その正体を探ろうとするのです。

一方のロボットたちは、そうしたかかわりを気にする風でもなく、つかず離れず、ただヨタヨタと歩くだけ。どこか当てがあって、ということもなさそうです。

こうして見てみると、「小さな子どもにぶつかって、ケガをさせたりしないか……」という心配は必要なかったようです。俊敏な子どもの足にぶつかって、ロボットが倒れることはあっても、その逆はなさそうです。ぶつかりそうになるのを上手に回避する、これは子どもたちの得意とするところであり、ずいぶんと侮《あなど》っていたわけです。

すこし慣れてきたこともあり、「ゴミ箱の姿をしたロボット」たちのところに、しばらく寄り添っていたり、一緒に歩みを共にする子どもたちも現れました。その歩みに先んじて、ぶつかりそうなものをどかしてあげたり、いたずらな子どもの手を払いのけたり、それはちょうど小さな子どもの面倒を見ているかのよう……。そんなときの子どもたちの表情というのは、どこか晴れやかで、なんだかとても大人びて見えます。

ちょうどそんなときだったでしょうか、一人の子どもが手にしていた紙袋を「ゴミ箱」の中に投げ入れたのです。ちょっとしたいたずらからなのでしょう。その振舞いに、たまたまロボットのセンサーが反応し、その上体を軽くかがめました。あたかもお礼しているかのように、あるいは「もっと!」とおねだりしているようにも見えます。

このことをきっかけに、他の子どもたちも一緒になって、あたりからゴミを探して来てくれるようになりました。子どもたちとしては、「ゴミ箱の姿をしたロボット」を相手にただだ遊んでいただけなのかもしれません。それでも、「ゴミ箱」はゴミでいっぱいになってしまったのです。

自らではゴミを拾えないけれど、子どもたちの手助けを上手に引き出しながら、結果としてゴミを拾い集めてしまう、そんな〈ゴミ箱ロボット〉が生まれた瞬間でした。


「すごい、子どもたちの手を借りてゴミを拾い集めてしまった！」

「なんだか、ちゃっかりしているなぁ」

「こんな他力本願なロボットって、あまり聞いたことがないかも……」

「でも、ちょっとズルくないかい？」

「いや、他の人の手を上手に借りるロボットって、なかなかスマートなんじゃないの！」

「まったくローテクなロボットのはずなんだけど……」

「子どもたちも、なんだか嬉しそう……」


ゴミ箱の姿をしたロボットは、ただヨタヨタと動きまわっていただけ。それを目にした子どもたちの中には、「コイツは、もしやゴミを拾い集めたいのでは……」と感じた子もいたのでしょう。そこに意思のようなものを汲みとり、自分の出来る範囲でなにか応えてあげようとしたわけです。

そんな様子をしばらく眺めていたときです。幼稚園の年長さんくらいの、一人の子どもがその場を仕切り始めました。「この赤い子は、ペットボトル！」、「ねずみ色の子は、紙くず専用だからね！」と、いつの間にかお世話係になってしまったようです。〈ゴミ箱ロボット〉の中に、ごちゃごちゃとゴミが放り込まれているのをかわいそうに思っていたのでしょう。

図1・3　子どもたちと〈ゴミ箱ロボット〉のファーストコンタクト（2009年頃）

勝手にゴミの分別を始めたのです。

なにげない遊びの中での一瞬の出来事でした。ロボットたちは、子どもたちを味方に引き込むことで、図らずも「ゴミを拾い集める」ことにくわえ、「ゴミを分別しながら集める」という新たな機能までも手に入れてしまったわけです。

これってロボットなの？　どこがすごいの？

「えっ、これってロボットなの？　ただのゴミ箱なのでは？」

「三つのゴミ箱が並んでいたら、ゴミの分別だって、ふつうにやるんじゃない？」

そんな指摘を受けるまでもなく、このロボットたちはとても微妙な立場にあります。「どこがすごいの？」とたずねられても、まだうまく答えられません。

ロボットに施してきた工夫といえば、ランドリーバスケットをポリバケツ風のデザインにしたこと。「ポリバケツ」そのものであり、「デザインしない、デザイン」というわけです。それと、ホイールなどが格納されている機構部分の上に「ゴミ箱」がのせられており、スプリングで連結されています。こうした工夫により、〈ゴミ箱ロボット〉のヨタヨタ感もなかなか上々です。

空き缶のフタで作られたホイールは、タイル床の細い溝の上でときどき空回りすることもあります。懸命に前に進もうとしても、なかなか思い通りにいかない。これらがあいまってなのか、「どこか不完全なのだけれど、なんだかかわいい。放っておけない！」という気持ちをまわりの子どもたちから引き出してしまうようです。おぼつかない姿で歩き始めた子どものような雰囲気でしょうか。

もう一つ、子どもたちに受け入れられているのは、その「あっけらかんとしたところ」にありそうです。自分のことをあまり主張しすぎず、「ただのゴミ箱でも、ロボットでもどっちでもいいです！」、「どうにでも解釈してね！」という空気を醸《かも》し出しているのです。

いつ頃からか〈ゴミ箱ロボット〉と呼ばれるようになっても、懸命にゴミを探そうという素振りもありません。「カメラからの映像だけでは、ゴミを見つけだすのは難しいのです」と半ばあきらめの境地で、ただヨタヨタしながら、あたりを動きまわっているだけ……。

それを見ている子どもたちは、「どこに進もうとしているのか」、「何かを探しまわっているのではないか」と、いろいろな手がかりを駆使して、その振舞いを説明しようとするのです。

「あっ、そうか、ゴミを拾い集めようとしているのか！」

「やっぱりそうだ、ゴミを拾ってあげたら、お礼をしてくれた……」

「ヨタヨタしながら、また歩き始めた。喜んでくれたみたい……」

このように「ゴミでも探しているのかなぁ」と捉えてみたら、たまたま合点がいく。これらの間に矛盾がなければ、ひとまず納得というわけなのでしょう。

でも「ゴミを拾い集めようとしている」って、本当でしょうか？　ここで詳しい議論は避けたいと思いますが、そこに「心がある」ことと、「心を感じる」ことは区別しておく必要がありそうです。「ゴミ箱の姿をしたロボット」に、いつの間にか「心なるものが宿っていた」ということはなさそうです。ここでは「心なるもの」を目の前のロボットの振舞いを説明するための「手がかり」や「リソース」(認知資源)の一つとして捉えておくことにします。

よくよく考えてみると、「子どもたちの手助けを上手に引き出しながら、ゴミを拾い集めようとするロボット」というのも、わたしたちが勝手に作りあげたスローガンにすぎません。「ゴミを拾い集めるロボット」という存在は、「ロボットの振舞いとそれを解釈する子どもたちとの間に、たまたま構成されたもの」といえるのです。

放っておかれれば、ただの「ゴミ箱」。でも、見える人には見える、感じることの出来る人には感じられる。「となりのトトロ」ならぬ、「となりのロボット」のような存在なのかもしれません。

その存在としては、とても危うい。でも、そうした存在だからこそ、子どもたちの中に溶け込めているように思うのです。「どうにでも解釈してくれ！」というのは、子どもたちに解釈に参加する「余地」を与えており、そこで子どもたちの想像を引き込みながら、ユニークな遊びを生みだしているわけです。

実際のところ、子どもたちはどのような思いなのでしょう。とても歯がゆいのは、それを調べるための十分な手立てがないことです。彼らの振舞いから推察することしかできません。詩人の宮澤章二さんの『行為の意味』（ごま書房新社、二〇一〇年）のなかの一節を借りれば、「確かに〈こころ〉はだれにも見えない／けれど〈こころづかい〉は見えるのだ／（略）／。同じように胸の中の〈思い〉は見えない、けれど〈思いやり〉はだれにでも見える」というわけです。

子どもたちが〈ゴミ箱ロボット〉の手伝いをする姿からは、「しょうがないなぁ」と、しぶしぶとゴミを拾っているようには見えません。一方的にゴミ拾いをさせられているのでもない。それに、〈ゴミ箱ロボット〉のことをかわいそうに思って、手を貸してあげていたわけでもなさそうに思います。自らを犠牲にして他を利する行動のことは、「利他的な行動」と呼ばれるのですが、ここでの子どもたちとロボットとのかかわりでは、「助けてあげる」、「助けてもらう」という関係ではなさそうです。

子どもたちは〈ゴミ箱ロボット〉の「思い」を勝手に感じ取っていた。その思いを一つにして、一緒にゴミを拾い集めていた。誰かのためにというより、みんなでゴミを拾い集めているのが楽しい。自分にも出来ることがあり、その場に一緒に居ることが嬉しい。本当のところは知る由もないのですが、そんな風にも見えるのです。

この〈ゴミ箱ロボット〉のとりえの一つは、自分の中で閉じておらず、他に対して開いており、誰とでもつながれること。自分ではゴミを拾えない、ゴミを見つけるのもどこか頼りない。それでも、なにも気にせずにあっけらかんとしている。ロボットの不完全なところが、結果として子どもたちに活躍の場をたくさん与えているようなのです。


フツウのロボットって、どんな?


子どもたちの気持ちというのは、とても気まぐれなもの。「そんな当てにならないものに頼っていていいの?」との心配もあります。ぼんやりしていたり、ちょっと乱暴な子どもたちもいて、それなりのリスクを覚悟する必要があります。「なんだコイツは!」とばかり、思ったほどのことではないとわかると、軽くけるようにして、その場を去っていく子どもたちもいます。

もう一つの心配事としては、他の研究者たちからの冷ややかな目でしょうか。

「これでは技術開発として、あまりに手抜きなんじゃないのかなぁ……」

「これって研究なんだろうか。どんな論文になるというの?」

「なんだコイツは!」というのは、子どもたちばかりではないのです。「ちゃんとした研究なのか……」に対して、「そんなの余計なお節介だよ!」と思いながらも、いろいろと考えを整理しておくチャンスなのかもしれません。「こんなの、ロボットって言えないんじゃないの!」との指摘があるなら、「あれっ、フツウのロボットって、どんなだっけ?」と考えてみるのです。

フツウのロボットって、どのようなものなのか。その特徴の一つは、自らの中だけで完結しており、誰の手も借りないということ。「あなたはロボットなのだから、誰の手も借りてはいけません!」という不文律があって、「ひとりでできるもん!」とばかり、自分の力だけでなんとかしようとする。これを「あたりまえのこと」として受け入れてきたのです。そこで正統派といえるような「ゴミを拾い集めるロボット」について考えてみましょう。ゴミを見つけ出すためには、高性能のカメラを搭載し、画像処理や認識技術を駆使して、ゴミを探し出そうとするわけです。「おっ、あそこにゴミらしきものが……」と、近くまで歩み寄り、小さなアームを慎重に伸ばしてみる。ゴミのところに届いたら、タイミングよくアームの先端部を開閉して、ゴミを摘みあげる。それをゴミ格納容器のところまで移動させ、ゴミを手ばなす。このことを繰り返せばよさそうです。

ただ、どうでしょう。広場でゴミを拾い集めるだけなのに、火星などで鉱物のサンプルを採取するような、大掛かりなものになってしまいます。それに想定外の事態にも出会うことでしょう。ペットボトルくらいであれば簡単に拾えても、カードや名刺のような、薄っぺらなモノに対しては苦労しそうです。アームを上手に伸ばすも、硬い指先がコツンと床に跳ね返され、それを摘むこともままならない。それに、「これはゴミなのか、それとも大切な落とし物なのか」との価値判断は、ディープラーニングなどの最新技術を駆使してもまだまだ難しそうです。

〈ゴミ箱ロボット〉を広場に置いたときに、初めに思ったのは、「ゴミって、意外にも落ちていない！」ということでした。公共施設では、いつも掃除が行き届いており、ポイ捨てしにくい場所なのかもしれません。あたりをウロウロしながら、ゴミを探しまわるのは、とても大変なことに思えるのです。

「自分の力だけで、なんとかしよう」との心意気は評価できるけれども、なぜだか弱いところ、苦手なところが目立ってしまうのです。一つでもつまずいたら、そこに立ち往生してしまう。ロボットなのでまだ心が折れてしまうことはないにせよ、想定外のことに対しては脆弱《ぜいじゃく》であり、柔軟性に欠けるようなのです。

こんなときは、どうしたらいいのでしょうか。多くの場合、もっともっと技術を磨かなければと工夫を重ねることでしょう。たとえば、「ロボットアームの先端をもっと柔らかな指先にしてみよう」、「アームの自由度を高めるために、その回転軸の数を増やしてみよう」と、その機能や能力の「隙間」をなんとか埋めようと工夫してみる。「ひとりでできるもん！」を究めようというわけです。

その能力や機能がまだ十分でないなら、新たな機能を追加してあげればいい。これは「足し算のデザイン」と呼ばれるもので、ある意味ではまっとうなアプローチなのです。

❁子どもたちとの間に生まれる「しなやかな強さ」

ただ、どうでしょうか。たまたまですが、〈ゴミ箱ロボット〉と子どもたちとのかかわりを目にしてみると、すこし見方も変わってきます。「ゴミを拾うのが苦手なら、そんなことは子どもたちに手伝ってもらえばいいじゃないか！」と。「自分の力だけでなんとか」と自らの中に閉じるよりも、どこか「しなやかな強さ」のようなものを感じるのです。

これはどうしてなのでしょう。一つには、キカイキカイしたものにくらべて、子どもたちの能力は圧倒的に高いということもあるでしょう。ペットボトルを拾うのでも、カードのような薄いものを摘みあげるのでも、彼らの柔らかな手にはかないません。「本当によくできているなぁ！」と思います。ちょっと狭いところにあるゴミも、器用に身体を小さく屈めながら、腕を伸ばすことが出来ます。無造作に捨てられたゴミなのか、誰かの大切な落とし物なのか、そんな価値判断もなんなく行えることでしょう。

ただ、ここですこし立ち止まって考えたいのは、「こうした子どもたちの〈強み〉は、〈ゴミ箱ロボット〉とのかかわりのなかで引き出されたもの、顕在化したものなのではないか」ということです。

「この手の柔らかさって、そんなにすごいことだったの？」と、ふだんは気にも留めていなかったことでしょう。「こんなことで貢献できるのなら、いつでもどうぞ！」というわけです。くわえて、〈ゴミ箱ロボット〉の思いを汲んで、みんなでゴミを拾い集めたり、その進行の妨げにならないようにと、障害となるものを先んじてどかしてあげる。〈ゴミ箱ロボット〉の〈弱さ〉は、子どもたちの〈強み〉だけではなく、彼らのやさしさや工夫なども引き出していたのです。

多くの子どもたちが入れ替わり立ち代わり〈ゴミ箱ロボット〉とかかわっているところも見逃せません。一人の子どもの気まぐれに頼っていては心もとないのですが、いろいろな子どもたちがときどき参加してくれる。その中で、お互いの〈弱さ〉を補いあいながら、それぞれの〈強み〉を引き出しあっている。〈しなやかな強さ〉というのは、こういう関係の中から生みだされるようです。先の「ひとりでできるもん！」と強がっているはずでも、実は「とても脆《もろ》い」ことと対照的に思われるのです。

もう一つ、とても興味深いのは、子どもたちに囲まれているとき、〈ゴミ箱ロボット〉の〈弱さ〉や〈不完全なところ〉は、そのかかわりの中に消えてしまっていることです。「自分ではゴミを拾えない」とか、「ゴミの分別は苦手！」、「そんなに軽快に動きまわれない」など、かかわりの中にいると、あまり気にならないものです。

「そのかかわりの中に、上手に隠れてしまった……」と捉えたらいいのか、それとも「そんな弱さは、初めからなかったのだ！」と考えたらいいのか。ロボットの能力や機能を評価するときには、とかくロボットの範囲内で考えてきたと思うのです。このことは、「テストを受けるときには、誰の手も借りてはいけませんよ」というのと、同じことなのかもしれません。

しかし、子どもたちを含めた全体のシステムとして考えてみると、〈ゴミ箱ロボット〉たちは、「ゴミを拾い集める」ことも、「ゴミを分別してしまう」ことも、「ぶつからないで歩く」ことも出来ているのです。あえて一人だけにしておく必要は、どこにもないと思うのです。

こうしていつの間にか、子どもたちに囲まれた〈ゴミ箱ロボット〉の姿に馴《な》れ親しんでしまうと、ポツンとして黙々とゴミを拾い集めようとする、これまでの正統派のロボットの姿というのは、どこか寂しげであり、なにか無理をしているように思えます。「ひとりでできるもん!」と強がっているけれど、そんなにゴミを摘みあげるのに四苦八苦しているなら、「まわりの子どもたちに手伝ってもらってはどうなの?」と、思わず声をかけたくなるのです。

ちょっとだけ手のかかるロボットはどうか

〈ゴミ箱ロボット〉に限らず、多くのロボットにも(そして、わたしたちにも)苦手なところ、不完全なところはたくさんありそうです。「ひとりでできるもん!」と強がるのもいいけれど、自らの「弱いところ」を受け入れ、まわりにそっと委ねてみたらどうか……。〈ゴミ箱ロボット〉は、そんなことをさりげなく教えてくれたわけです。

「ほんのすこし人から手伝ってもらうロボットって、いいかも！」

「すこしだけ、手のかかるロボット！」

いままでロボットは、とかく「自分の力だけで何とかしなければ……」と拘ってきたのですが、ほんのすこし人の手を借りるだけで簡単に出来てしまうことはたくさんありそうです。その「不完全なところ」は、まわりの人の「強み」を引き出すのです。反対に、手助けしている本人だって、いろいろ苦手なこともあり、ときには助けてもらうこともあるでしょう。人とロボットとがお互いの「弱さ」を補いつつ、その「強み」を引き出しあうのはどうか。こうして、〈ゴミ箱ロボット〉をきっかけに、人との間でゆるく依存しあうような〈弱いロボット〉という考え方が生まれてきました。

一つの方向性が見えてくると、あとは堰《せき》を切ったように、いろいろなアイディアがわいてきます。ここでは、その一端を紹介してみたいと思います。

✿モジモジしながらティッシュを配ろうとする〈アイ・ボーンズ〉

「ロボットがティッシュを配るっていうのはどうだろう……」
「あっ、それってシンプルでおもしろいかも！」
「ティッシュを配ろうとしても、誰も立ち止まってくれないとか……」
「それでも、健気にがんばってみる！」

こうした雑談の中から生まれてきたのは、街角にたたずみティッシュを配ろうとする〈アイ・ボーンズ〉というロボットです（図1・4）。ちなみに「ボーン（bone）」は「骨」という意味であり、このロボットは「背骨」をモティーフにデザインされました。

わたしたちヒトと同様に、背骨＝体幹がしっかりしてくると、頭部も安定して、キョロキョロとまわりを見渡すことが出来ます。くわえて、体肢といって手や腕なども使えるようになるとゴミ拾いなども可能になるかもしれません。そこで着目したのは、他の人にティッシュを手渡そうとする行為です。

キョロキョロとあたりをうかがいながら、人が近づいてきたら、すかさずティッシュを渡そうとする。とても簡単そうに思えたのですが、実際に試してみると、なかなかうまくいきません。想定していた以上に人の動きは俊敏です。手渡そうとモタモタしている間に、あっという間に通り過ぎてしまうのです。

それと、もう一つ大切なことに気づきました。当たり前なのですが、ティッシュを差し出しても、相手が受け取ってくれなければ、手渡すことにならないのです。こればかりは相手があってのこと……、如何ともしがたい。半ば相手に開いて、委ねる必要があります。その意味では〈ゴミ箱ロボット〉のところの構図とも似ています。

図 1・4　街角にたたずみながらティッシュを配ろうとする〈アイ・ボーンズ〉

そんな事情もあって、このロボットはあきらめることなく、人が近づいてきたら、「どうなってしまうかわからないけれど……」とティッシュを差し出してみる。そうして、うまくいかないとわかると、残念そうに引っ込めることを繰り返すわけです。

よくよく考えれば、ティッシュを差し出そうとする相手は、その場をたまたま通り過ぎる「見知らぬ他人」です。それと、こちらも背骨をかたどったような

「得体の知れないロボット」です。その上で、ティッシュを受け渡すという行為は、お互いの気持ちを寄せあって、心を一つにする必要があるわけです。他者との社会的なかかわりを志向するソーシャルなロボットは、このようになかなか深いもので、本来はこのことを実感するだけでも十分だったのです。

しかし、世の中は捨てたものではありません。ティッシュを差し出そうとし、うまくいかないと残念そうに引っ込めることを繰り返していたのですが、その姿はモジモジしていて、どこか健気《けなげ》なものに映っていたようです。「これは放っておけない！」と思ってなのか、一人のおばあちゃんが近づいてきて、そこに立ち止まってくれました。そうしてロボットの差し出す手の動きに合わせて、ティッシュを嬉しそうに受け取ってくれたのです。「上手に手渡すことが出来た」というより、むしろ「上手に受け取ってもらった」という感じでしょうか。

あくまで結果としてなのですが、このロボットは〈ゴミ箱ロボット〉と同様に、相手の手助けを上手に引き出し、目的を果たすことが出来ました。一方のおばあちゃんも「ありがとう！　いいこだねぇ」と声をかけながら、〈アイ・ボーンズ〉の頭をナデナデしたのちに、嬉しそうにしてその場を離れていったのです。

もちろん、自分の中で完結していて、誰の手も借りないことが理想なのかもしれません。しかし、他者の手を借りないことには始まらないことも多いのです。一方的にティッシュを手渡そうとするのでは、相手かまわず強引に押し付けてしまうことになってしまいます。それでは、とっさに反発したくなってしまうことでしょう。

ここではたまたまモジモジとした、おぼつかない手の動きが鍵になっていました。それは他者の気持ちを探るための知覚行為でもあり、同時にロボットの気持ちをさらけ出すような表示行為ともなっています。結果として、まわりの人の「どこか不完全なのだけれど、なんだかかわいい。放っておけない！」という気持ちを引き出したのです。

✲フラフラとおぼつかなくさまよう〈ペラット〉

ティッシュを手渡そうとするときのモジモジした感じというのは、演出なのではなく、試行錯誤した結果として、モジモジしているように見えたのです。くわえて、「手渡そうとしても、相手に受け取ってもらえなければどうにもならない」というのは、誰しも備えている、もっと本源的な「弱さ」なのかもしれません。

「もっとおぼつかない動きって、どうなのだろう……」
「でも、それが過ぎたら、あざとくなってしまうんじゃない？」
「じゃ、あざとくないおぼつかなさって、どんなものなんだろう……」
「それなら、フラフラしているだけのロボットって、どうだろう！」

こうした雑談の中から生まれてきたのは、ちょうど歩き始めたばかりの幼児のように、フラフラと部屋の中をおぼつかなくさまようだけの〈ペラット〉です（図1・5）。

これまでのロボットの多くは、パワースイッチをオフにしても比較的安定しているのです。容易に倒れてしまってはあぶないのですが、その安定した姿勢というのは、どこか「モノ」や「キカイ」を想起してしまい、あまりドキドキ、ワクワクしません。「ヨタヨタしていて、もっと不安定なロボットは作れないものか」と思ったのです。

そんなときに出されたアイディアは、「倒立振子《とうりつしんし》」と呼ばれるものです。その名が示すように支点の上に重心があり、なんらかの方法でバランスを維持していないと転んでしまいます。学校帰りなどで、手のひらに傘を立てて、バランスを保ちながら歩いたことはないでしょうか。ちょっと油断すると倒れてしまうのですが、この原理をロボットに応用しようというわけです。
いわゆる二輪倒立振子型ロボットの〈ペラット〉の動作は、とてもシンプルなものです。上体が前に傾くのをセンサーで感知すると、ホイールを前方に回転させ、上体の傾きを戻そうとします。それが行き過ぎて上体が後方に傾いたら、今度は反対方向にホイールを回転させるのです。ユラユラと前後に動きながら、どうにかこうにか直立した姿勢を保とうとする。その姿は、なにか意思をもっているようでかわいいのです。

この「直立した姿勢」がクリアできると、次なる目標は「移動」です。ホイールの付いたロボットなので、なんのことはなさそうに思えます。ところが〈ペラット〉のバランスを保つために同じホイールが用いられていることもあり、前方に移動しようとすると上体がのけぞるので、それを補正するために、ホイールを後方に動かす必要があります。前に進んでは、わずかに後退する。なんだかおっかなびっくりしながら、部屋の中をさまよう感じでしょうか。結果として、こうした心もとない動きが〈ペラット〉の大きな特徴となりました。まさに歩き始めたばかりの幼児のような振舞いなのです。

移動手段を手に入れてみると、もう一つの課題となったのは「じっとしていること」でした。「そこでじっとしている」ことと「初めから動かない」ことには大きな開きがあるのです。「どこでもいいから、じっとしていてね！」といわれても、ロボットにとって自らの居場所を判断するすべがありません。そんなときには、「じゃ、つかず離れずくらいのところに居てね！」とのアドバイスはありがたいものです。

そっと近づいてきては、また少し距離を置こうとする。アドバイス（＝プログラム）に基づいた行動なのですが、そんな様子を見ていると「なつかれているのかな……」と勝手に思ってしまいます。おもしろいことに、初めは「ちょっとは頼られているのかな……」と感じていました。ところがそんな〈ペラット〉が居なくなってみると、妙に喪失感を覚えるのです。どうしてなのでしょう。〈ペラット〉を支えることが出来る者として、わたしたちも〈ペラット〉とのかかわりの中で価値づけられていたのです。頼っていたのは、むしろわたしたちの方だったようです。

ある時、ヨタヨタした〈ペラット〉に両手をつけてみました。もしバランスを崩して、倒れそうになったときには、手を使ってバランスを取ってはどうだろうと考えたのです。これもあり合わせのモノでした。シャワーヘッドを支える樹脂製のフックがちょうど腕のように見えたのです。

なかなかいい感じの〈ペラット〉に生まれ変わったのですが、そうそう思い通りにはいかないものです。バランスを崩しかけたとき、慌てて両手をワタワタさせても、それは外乱要因にしかなりません。おぼつかなく立ち上がりながらも、バランスを取ろうとする子どもの腕の動きというのは、もっともっと巧妙なものだったのです。

仕方ないので、その腕の動きを小さなものにしてみました。もはや重心のずれを補償するような動きはありません。それでも「おっとっと……」とがんばっているかのような仕草がとてもかわいいのです。まわりの人に向けた、一種の手ぶりや身振りのようなものでしょうか。

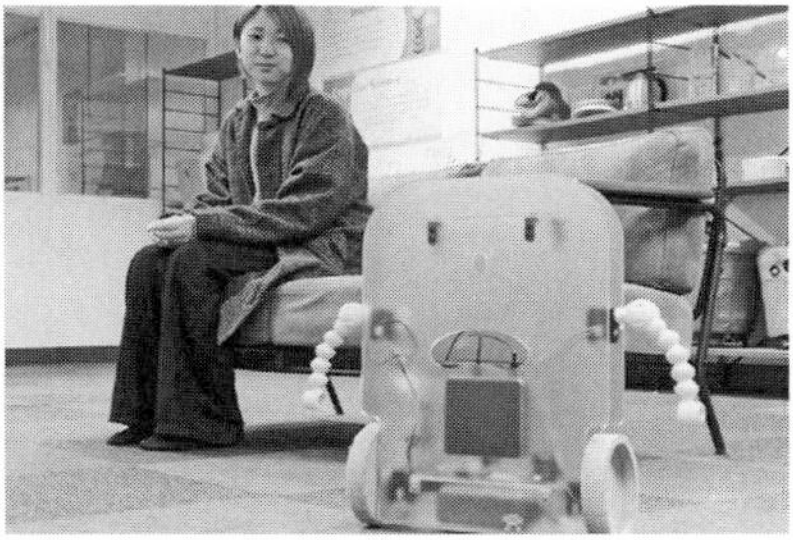

図 1·5　フラフラと部屋の中をさまようだけの〈ペラット〉

「じぶんでなんとかバランスを維持しよう」と考えながらも、いざとなったらまわりの人から支えてもらおうとの魂胆《こんたん》なのか、「じぶんでもがんばっているけれど、もし倒れそうになったら助けてね！」とのメッセージが伝わってきます。そうして、わたしたちもその動きから目が離せず、なぜか釘付けになってしまうのです。

この章の中ですべてを紹介できないのですが、他にもたくさんの〈弱いロボット〉たちが生まれてきました。

「手をつないで、ただ一緒に歩くだけのロボットってどうだろう……」

「誰かを案内してくれたら、便利かもね！」

「いや、ただ一緒に歩くだけでいいんじゃない？」

「手をつないで歩くだけなら、その手は一つだけでいいのでは……」

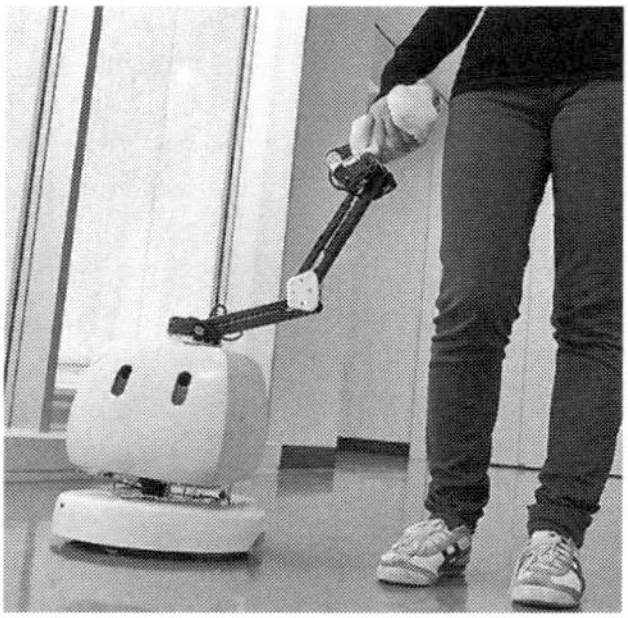
図1・6 ただ手をつないで一緒に歩くだけのロボット〈マコのて〉

そんな議論の中から、とてもシンプルなロボット〈マコのて〉が生まれてきました（図1・6）。

手をつないであげると、左右に小さく身体を揺らしながら、ヨタヨタと進みます。少し歩いては、ちょっと立ち止まり、まわりをうかがうようにして、また歩き始める。ちょうど幼い子ども、あるいは子犬を連れて歩くような感じでしょうか。「ロボットから頼られている」という側面もあるのですが、同時に、「わたしたちもロボットの判断に半ば委ねている」ところもあり、お互いにゆるく依存しあう感じがとても心地よいのです。このロボットの詳細については、本書の第5章で紹介してみたいと思います。

また、後の章でも紹介する、相手の目を気にしながらオドオドと話そうとする〈トーキング・アリー〉、言葉足らずな発話で今日の出来事をなんとなく伝えようとする〈む～〉、そして、子どもたちに昔話を語り聞かせようとするも、時々、大切な言葉をモノ忘れしてしまう〈トーキング・ボーンズ〉なども、他者の手助けを上手に引き出しながら、目的を叶《かな》えてしまうという意味で〈弱いロボット〉の仲間かもしれません。言葉を繰り出すという極めて個人的なものに思える振舞いも、やはり聞き手に半ば委ねるようにして、その支えから成り立っているようなのです。

さて本章の前半では、「自己完結した、完璧なアイディア」よりも、むしろ「未完成なアイディア、暫定的なアイディアの方がいい」と指摘してみました。ぼんやりとしたイメージでしかなかった「段ボール箱のロボット」も、紆余曲折《うよきょくせつ》があって、〈ゴミ箱ロボット〉の姿となりました。また、後半で紹介したように一つのアイディアがどんどん飛び火するようにして、いくつもの〈弱いロボット〉たちが生まれてきたのです。

せっかくの機会ですので、みなさんも、「まわりの手助けを借りながら、ちゃっかり目的を果たしてしまうようなロボット」のアイディアを考えてみてはいかがでしょう。「ひとりでできるもん！」と思ってはいても、意外なところで、まわりの世話になっていた。そこで一緒になにかを成し遂げていた。そうしたことに気づくことが出来るかもしれません。

第2章
〈弱いロボット〉は、こうして生まれた!

あり合わせによる〈ブリコラージュ〉のすすめ

✿冷蔵庫の中のあり合わせを生かして……

みなさんの中には、子どもの頃に紙粘土で遊んだ人も多いことでしょう。あるところを凹《へこ》ませようとすると、余計なところが出っぱってしまい、思い描いたようなカタチになってくれない……。そんなときは、あまり逆らうことなく、紙粘土に半ば委《ゆだ》ねてみてはいかがでしょう。

紙粘土には、ほどよい粘性《ねんせい》があり、わたしたちの手の動きを制約してくれます。しばらく押しあいへしあいしてみると、そこからユニークなカタチが生まれてくることもあるでしょう(図2・1)。それはイメージしていたものとは違っていたとしても、紙粘土から一方的に押しつけられたものでもないはずです。見方を変えれば、紙粘土の粘性などを味方につけて、一緒にオリジナルなカタチや意味を生みだしていたわけです。

このことは、研究活動や生き方にも当てはまりそうです。思わぬ壁が行く手をはばんで、なかなか思うように進めないことも多いのですが、その壁は「こちらは、あなたの進むべきところではありません!」とさりげなく諭しながら、新たな方向へとそっと背中を押してくれていた。後から振り返ってみると、そんな風にも思えるのです。

これは負け惜しみに聞こえるでしょうか。わたしたちのラボでも、お金や技術の乏しかった頃、いくつものユニークなアイディアが生まれてきました。先ほどの〈ゴミ箱ロボット〉もその一つです。

「とりあえず、ロボットを作ってみたい！」と思いながらも、技術も予算も十分ではありません。「段ボール箱の姿をしたロボットはどうか……」、「ロボットアームが無理なら、子どもたちの手を借りればいいじゃないか！」というのは、ほとんど苦しまぎれから生まれた発想だったのです。

もっと潤沢《じゅんたく》な研究予算があり、ロボットに関する豊富な知識をもち合わせていたらどうだったか。自在に動くロボットアームを装着し、どんな悪路にも負けないクローラーで、ゴミの山に果敢《かかん》に挑戦していく……、そんなロボットを作っていたのかもしれません。

〈ゴミ箱ロボット〉やその後に続く〈弱いロボット〉たちのアイディアが生まれたのは、「偶然が重なっただけ。ただ運がよかった」との解釈も出来ます。しかし、「幸運の出会い」を引き

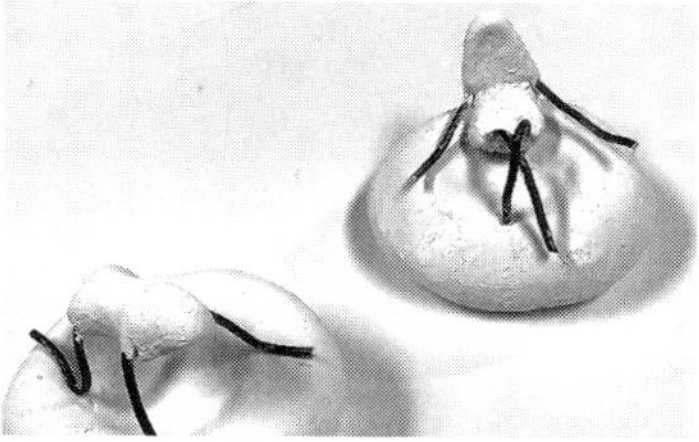

図 2・1 紙粘土に委ねてみる．すると……

込み、新たなアイディアを生みだすための、いくつかのコツも浮かび上がってくるのです。文化人類学者のクロード・レヴィ＝ストロースは『野生の思考』(みすず書房、一九七六年)の中で、あり合わせのモノをかき集めて、当面の課題を解決していくことを「ブリコラージュ」という言葉を用いて紹介しています。わたしたちの研究活動を振り返ってみると、「あり合わせのモノを生かす」とか、その場の〈制約〉を味方にする場面がいくつも登場していたのです。

レシピに忠実に従い、選りすぐりの食材で作られた料理は、その味は確かなものかもしれません。しかし完成度は高くても、どこか予定調和的で、オリジナリティに欠けてしまうようです。一方で、冷蔵庫の中のあり合わせを工夫しての料理はどうでしょう。当たりはずれもありますが、それでも思いがけない味やメニューに出会ったりするものです。

第2章では、この「ブリコラージュ」という言葉を手がかりに、「弱者の戦法」とでも呼ぶような、わたしたちの仕事のスタイルを紹介してみたいと思います。

ジャンケンで負けてたどり着いた世界

ここしばらく、いろいろなロボットとかかわってきました。ただ、初めから興味があったわけではありません。わたしが中高校生の頃に熱中していたのは「真空管アンプ」というものです。いまでいう「電子工作」でしょうか。

真空管(図2・2)は、その名が示す通り、真空のガラス容器の中で、カソード(陰極)からプレート(陽極)への電子の流れを、その途中にあるグリッド(網)で妨げる構造になっています。グリッドのわずかな電圧の変化により、大きな電流を制御するのです。この巧妙な仕組みに心惹かれた、「沼にハマった!」というわけです。

図2・2 真空管の例(12AU7, 12AX7)

当時の技術の粋を集めた電子デバイスなのですが、意外にも街外れに廃棄されていた古いラジオや白黒テレビの中にありました(かつてはゴミを分別して出すような習慣はなかったのです)。そこから抵抗器やコンデンサ、ダイオード、トランスなど、さまざまな電子部品を拾い集めてきて、オーディオアンプを組み立てるのです。所詮は、拾い物、あり合わせの部品ばかり。回路図にある抵抗値とは微妙にずれており、いい加減なものでした。それでも真空管の中のヒータの灯りにワクワクし、スピーカから聞こえてくるノイズ交じりの音に心躍らせたのです。

いまでも、とりあえずロボットを作ってみようと、電子パーツ屋さんではなく、雑貨屋さんに飛び込んでしまうのは、このあり合わせでモノを作ろうとする癖が抜けていないからでしょう。

その後に、本格的に電子工学を学んでみようと大学に進学しました。しかし、真空管の時代はとうに過ぎ去っており、トランジスタやＬＳＩ(大規模集積回路)などの固体電子デバイスやデジタル回路の時代に……。真空管などのアナログ回路に熱中していたこともあり、コンピュータの中で使用されるデジタル回路というのは、誰が組み立てても同じものにしかならず、なんとも味気ないのです。ＬＳＩの集積度もどんどん向上し、その仕組みすら想像できないものになっていました。

そんなときに熱中したのは、量子力学のゼミ形式の授業です。「電子は、粒子の性質と波動の性質をあわせもつらしい」、わからないながらもドキドキ、ワクワク。ちょうどトンネルダイオードの発明で、江崎玲於奈《えさきれおな》先生がノーベル賞を受賞したニュースや、物理学者の朝永振一郎先生や寺田寅彦先生の随筆などの影響もあって、いずれは量子物性の研究者になろうなどと考えたのです。物理学の世界では「場」という表現を多用しており、いまでもこの言葉にときめくのは、そんなことも手伝ってのことかもしれません。

ただ、「量子物性の研究者に……」という思いは、ほんの束《つか》の間《ま》のことでした。卒業研究のための研究室を決める際に、あっけなくもジャンケンで負けてしまったのです。そこでたまたま行き着いた先は「音声科学」の世界でした。

電子工学なのに、なぜ音声科学なのか。電話などで音声を遠くまで届けるには、途中で「増幅」を必要とし、古くから真空管などの電子デバイスが活躍していたようです。幸いにも、この音声科学にハマってみたら、とても魅力的な分野でした。

こうした縁もあって、大学院時代、そして最初に就職したＮＴＴの基礎研究所では、「音声科学」や「音声言語処理」などをテーマに研究をスタートさせたのです。

手探りで「音声」を生みだす試み

この写真にある造形物（図２・３）は、いったいなにをかたどったものでしょう。みなさんも、ちょっと考えてみてください。ヒントは「わたしたちの身体の中の一部であって、その一部は身体の外から見えるもの」です。

うっすらとは想像できたでしょうか。これは喉《のど》の奥から唇に至るまでの「声道」の三次元模型だそうです。ＭＲＩで再構成した立体画像をもとに、３Ｄプリンタなどを利用して実物

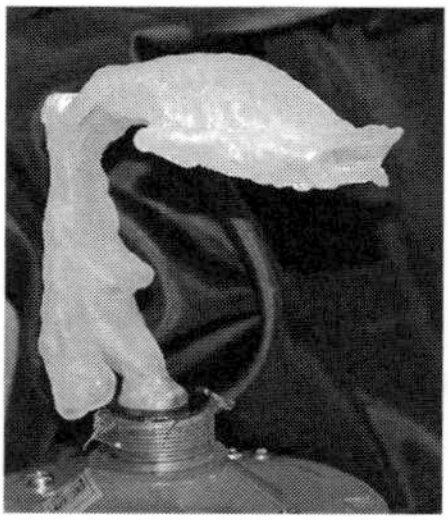

図2・3　これはいったいなんだろう……

大の模型を作ることが可能なのです。

この声道模型の入り口から、声帯振動を模した三〇〇ヘルツ程度の音源波を入力してあげると、声道の中で共鳴した「あ〜」という〈音声〉が聞こえてくるのです。

わたしたちの音声は、どのように生みだされているのか……。

音声科学の歴史をさかのぼってみると、こうした関心は古くからあったようです。「初音ミク」の元祖ともいえる音声合成器(speaking machine)は、約二五〇年も前に、ハンガリーの発明家、ヴォルフガング・フォン＝ケンペレンにより考案されました(図2・4)。

フランクリンが凧《たこ》を用いて、雷が電気であることを調べていたような時代です。電気もモータもありません。まったくの機械式というか、どちらかといえば手動式のものでした。喉から口にかけての声道を革製の管《くだ》で作り、そこに「ふいご」で空気を送り込むのです。しかし、これだけでは音声になってくれません。声を生みだすには、喉のところにある声帯を震わせる必要があるのです。当時のオルガンや管楽器などからヒントを得たのでしょう。声帯の代わりに「リード」を使い、そこに空気を通して震わせていたようです。

つまりアコーディオンにあるような「ふいご」を使って肺からの呼気を生みだし、それによって声帯に代わる「リード」を震わせ、その音源波を革製の管に通してみる。あとは、その管のところを手で握り、その握り方を微妙に変えることで、「あ〜」や「い〜」などの音声を生みだすポイントを探っていたわけです。

これは、まさに「手探り」そのもの。うまい具合にせばめを作ると空気の乱流なども生まれます。手の動きによっては、たまたま「さ〜」「し〜」などの摩擦音や「ば〜」「び〜」などの破裂音などに近い音を生みだすこともあったのでしょう。

「な〜」「ま〜」などの鼻音というのは、鼻から空気が抜けることで生まれます。どこまでフォン＝ケンペレンの発案なのか定かではありませんが、後年のレプリカなどを見ると、リードと管との間に、空気の抜け穴を設けて鼻音の生成を実現していたようです。

「これで、人を驚かすことは出来ないものか……」と、彼なりの遊び心もあったと思うのです。その真意は知る由もありま

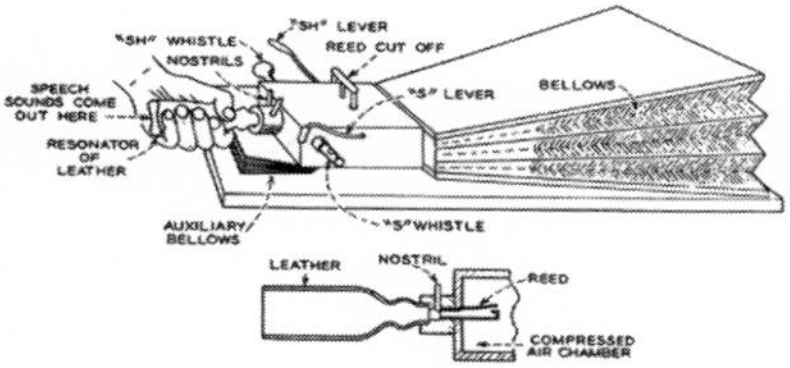

図 2・4　フォン＝ケンペレンの音声合成器(レプリカ)の模式図(Flanagan. J. L., (1965) Speech Analysis, Synthesis and Perception, Springer Verlag)

せんが、こうした試みによって、いくつもの知見が残されました。

一つは、今日の音声科学への貢献です。ここで手作りされた音声合成器は、その後に「ソースフィルタモデル」と呼ばれる音源と声道を分離した音声生成モデルのベースとなっています。「初音ミク」やシンセサイザーなどでは、すべて電子回路やデジタルフィルターなどに置き換えられていますが、その生成原理そのものに大きな違いはありません。

もう一つ興味深いのは、「音声を作り出す試みを通して、その背後にある原理を探る」という、とてもユニークな研究手法を生みだしたことです。

一般的な研究手法では、とりあえず音声そのものを観察して、その音声波形を引き伸ばしたり、細かく切り刻んで詳細を調べます。あるいは身体に観察対象を移し、骨格や筋肉、それを駆動する神経系、神経細胞の仕組みを調べていくわけです。これらは「分析的なアプローチ」と呼ばれるのですが、いろいろな要素に分断してしまうと、肝心《かんじん》の「音声らしさ」や「その生成の仕組み」は、どこかに隠れてしまうようなのです。


「あまり難しいことを考えずに、とりあえず作りながら考えてみよう！」

「でも、研究というには、ちょっと泥臭いんじゃない？」

いろいろな要素が関係しあって，一つの機能を生みだしているなら，それらを組み合わせながら，必要な要素や関係を探ってみる。これは「モデル＝模型」を作ることにも通じます。初めはラフなモデルからスタートし，そこで生みだされた現象と本物との間にズレを見つけたら，修正を加えつつ，詳細化していくわけです。

先ほどの「分析的なアプローチ」に対して，この方法は「構成論的なアプローチ」あるいは「合成による分析(analysis by synthesis)手法」と呼ばれています。わたしたちがロボットを作ろうとするのも，なんとか「ヒトのようなもの」を作りながら，その背後にある仕組み，そこから生まれる「ひとらしさ」などを探ろうとする試みであり，一種の「構成論的なアプローチ」といえるわけです。

ここで注目したいのは，音声の生成原理を探る上で，「あり合わせ」からスタートしている点です。木製の箱，革製の管，リード，ふいご……と，どこからかかき集めてきたようなモノばかり。たとえば，オルガンなどの楽器に使われていた「ふいご」は音を途切れさせないために，とても大切な働きをしています。革製の管との組み合わせは，手の動きに応じて凹んだり，一部で膨《ふく》らみを作り，時にはせばめが生まれるなど，従来の「楽器」の概念を越えて、そこから「音声もどき」を生みだす上で必須のものでした。

これらは必ずしも理論から導き出されたものではないはずです。まだ理論も確立していない段階では、最適な材料を集めたり、部品を設計することは出来ません。「手探り」で探索していくには、とりあえず「あり合わせのモノ」を組み合わせて、「シンプルな模型」を作ってみる。それが的外れなものでなければ、あとは本物にどんどん近づけていくために、手の動きを工夫したり、もっと適した素材を探しながら、この模型(=モデル)を詳細化していくわけです。こうした詳細化の以前のところで、発想の飛躍を支えていたのがあり合わせでの工夫、つまり「ブリコラージュ」だと思うのです。

いい淀みなどの非流暢な発話の現象をどう扱ったらいいのか

コンピュータの性能が向上するのに伴い、わたしたちの関心も、音声現象から言語学的なもの、そしてコミュニケーションの領域へと移ってきたわけです。その過程で、いくつかの「壁」にぶつかることもありました。その一つは、いい直しやいい淀みなど、自然な発話における「非流暢《ひりゅうちょう》な現象」と呼ばれるものです。

相手の発話を理解しようとするとき、わたしたちはどうしているのか。あまり実感を伴うことはないかもしれませんが、一つの見方としては、「聞き手も一緒になって発話を生成しながら(＝予測しながら)、相手から繰り出される発話と整合させている」と考えられます。先ほどの「合成による分析手法」と原理は同じものでしょう。

それでは、コンピュータが話し手の発話を予測するには、どうすればいいのか。いまでは生成ＡＩの原理を用いて次の発話を予測する方法など、いくつかの選択肢がありそうです。しかし、しばらく前までは厳格な言語生成ルール(＝文法規則など)を利用する方法が一般的でした。比較的丁寧な発話を想定していたときはまだよかったのです。しかし、日常的な会話にある、「自然な発話(spontaneous speech)」を相手にするようになると、その雲行きも怪しくなってきました。

「でっ、あのー、そこって、えー、なにがあるわけじゃないんだけど、ほんと」
「うー、自然の、あの、こっ、船、船っていうか、あの、こー、音楽を聴きながら……」
「あの、ハワイの音楽を演奏しながら……」
「こー、船みたいので、あの、そのー、島、その、小さな島まで行くわけね」

実際の会話の中では、とても弾《はず》んだ声であり、なにを伝えようとしているのか、よく理解できるのです。しかし、後からテキストとして書き起こしてみると、いろんなところで、いい直しやいい淀みがあって、言葉のつながりを見失いそうになるのです。このような「発話の非流暢な現象」をコンピュータでどのように扱ったらいいのか。しばらく頭を抱えてしまいました。

そこで、ふと頭をよぎったのはフォン＝ケンペレンの仕事でした。この非流暢な発話の現象をコンピュータで再現できたらおもしろそう。その名も〈口ごもるコンピュータ〉。もちろん、それほどたやすく実現できるものではありません。とても複雑な現象であり、それはヒトの頭の中で生みだされるわけですから……。

後から考えてみると、ここで二つの先入観があったようです。一つは、「複雑な現象を生みだしている要因は、頭の中の複雑な働きによる」ということ。もう一つは、「発話とは、話し手の頭の中で生みだされている」ということ。「頭の中の複雑な働きを再現することなんか、出来るはずないじゃないか」などと考えていては、そこで手が止まってしまいます。

さて、どうしたものか……。

ちょうどその頃、「少し、新しい空気でも吸ってきたら……」と、ＮＴＴの研究所内で異動の話が舞い込んできました。幸いなことに、この異動先で行き詰まりを打開する、ちょっとしたヒントを得たのです。突破口となったのは、コンピュータの中で生命現象や進化のプロセスの再現を試みる「人工生命」という、スケールの大きな研究との出会いでした。

✿砂浜の上を歩く蟻の足跡……

新しい職場となった、国際電気通信基礎技術研究所（ATR）（図2・5）は、当時、「人工生命」研究の国際的な拠点の一つでもありました。人工生命の研究を一言でいえば、コンピュータ上のモデルやエージェント、ロボットなどを使って、進化や増殖などの生命現象をシミュレーションしながら、生命とは何かを探ろうとするものです。

図2・5　けいはんな学研都市（京都・大阪・奈良）にある国際電気通信基礎技術研究所（ATR）

そこで語られていた、「複雑そうに見える現象も、その見方を変えるなら、いたってシンプルなルールとその場その場でのインタラクションの結果から生みだされたもの」との視点に、「あっ、これはなにかありそう……」と思ったのです。

ちょっと地味な「発話の非流暢性」の研究と「人工生命」

研究との思いがけない出会い。「あり合わせを生かす！」といったら失礼だけれど、こうした偶然の出会いでは、化学反応でも生じたかのように、新たな展開を生みだすことも多いのです。


「もしや、非流暢な発話の現象なども、一種の創発現象《そうはつげんしょう》として捉《とら》えられるのでは……」

「いや、そもそも雑談って、創発現象なんじゃない？」

「じゃ、雑談を作り出しながら、その原理を探ってみてはどうか」

「えっ、そこまで飛躍しちゃうの？」

「口ごもるコンピュータの研究はどうなった？」

「でも、テーマそのものを変えてしまうってアリだよね……」


この「創発現象」とは、どのようなものか。後ほど説明しますが、まずは雰囲気をつかんでいただくために、ここでは「サイモンの蟻《あり》」と呼ばれている一つの挿話《そうわ》を紹介してみます。

砂浜の上を一匹の蟻がせわしなく歩いている。その後には延々と続く蟻の足跡……（図2・6）。この蟻の残した足跡は、なぜ複雑な絵模様を描くのか。なにか道にでも迷っているのか、それとも空腹でフラフラなのでしょうか。

これは認知科学や経済学の分野で活躍したハーバート・A・サイモンが『システムの科学』(パーソナルメディア、一九九九年)の中で提起した「問い」の一つとして知られています。

「まぁ、小さな蟻といっても、その身体も動きも複雑そうだし……」

「すこしは心だってあるのではないだろうか……」

「子どもたちのため、せっせと餌を運んでいるのかもね!」

図 2・6 浜の上を歩く蟻の足跡はなぜ複雑な絵模様を描くのだろう

ともすれば、複雑な足跡を残すことになった要因を、わたしたちは蟻の内部の構造やその「心なるもの」に帰属させて考えやすいようです。ここで視点を変えて、蟻本人の目線で捉えてみたらどうでしょう。目の前に迫りくる砂浜の起伏や小石は思いのほか大きなもので、それを避けるようにして歩いていたら、結果として複雑な足跡を残すことになった。ただそれだけのことではないか……と捉えることも出来そうです。

システム科学や生命科学では、局所的なところでの相互作用の結果として、全体として見ると、個々の要素からは予測できない複雑な現象や秩序が立ち現れることを「創発現象」と呼んでいます。

蟻の残した足跡はどうして複雑な絵模様を描くのか。蟻の内部の複雑さだけに原因を求めるのでも、周囲の環境の複雑さに原因を求めるのでも、どこか無理がありそうです。ここでは、その要因を「蟻の内部構造とそれを取り囲んでいる環境との間に分かちもたれたもの」として捉えておこうというわけです。

この蟻の足跡の議論は、お掃除ロボットの軌跡に当てはめてもおもしろそうです。初めてお掃除ロボットの振舞いを目にしたとき、とても行き当たりばったりなものに感じました。どこか気ままでマイペース、狭いところに入り込んでとても甲斐甲斐しく働いていたり、ときには壁にそって丁寧にホコリをかき集めていたり……。しまいには、軽く腰を振るようにして、疲れたように充電基地へと戻っていくのです。

この生き物のような振舞いは、ロボット内部の機構やプログラムによって生みだされているだけではありません。ロボットの目線から見てみたらどうでしょう。とりあえず、まっすぐに突き進んでみる。すると部屋の壁に突き当たり、それ以上は進めないので、クルリと回転し、新たな方向へ動き出してみた。あるいは、ときどきソファの縁やテーブルの脚にぶつかり、ぶつかりしながら、進行方向を修正しようとする。このことを繰り返しているだけに思われます。

ただもう少し丁寧に見てみると、椅子やテーブルとの偶然の出会いも、ランダムな進行方向を見いだすことに貢献しているようです。部屋の壁や障害物を避けながら動いていたら、結果として「部屋の中をまんべんなく動きまわる」という振舞いを生みだしていた。ロボットにしてみれば、「部屋の中をまんべんなくお掃除しよう！」などの気持ちはなかったにもかかわらずです。

改めて考えれば、部屋の中をまんべんなくお掃除する能力は、ロボット内部に備わった機構とそれを取り囲んでいる環境とのかかわりの中から立ち現れたものであり、その二つの間に分かちもたれたものである、というわけです。

もっとも、この頃のお掃除ロボットは、もう少し計画的に動いているようです。あたりの様子を探りながら、部屋の様子や配置を把握して、あとは几帳面《きちょうめん》にゴミを吸い集める。あの向こう見ずな行動も魅力の一つだったのですが、これも時代の流れということなのでしょう。

しかし、どうでしょう。どんな家庭にあってもタフに動きまわることを考えると、先ほどの

「部屋の壁やソファなど、まわりの手助けをちゃっかり借りてしまう方略」もなかなか捨てがたいと思うのです。

わたしたちは複雑な行動を生みだしている要因を、必要以上に個体の内部に帰属させてしまう。そんな複雑な行動や賢い行動を生みだすメカニズムを考えようとして、必要以上に複雑に捉えてしまう。しかし見方を変えるなら、もっともっと単純なインタラクションの結果として、複雑な振舞いや合目的的な結果が生まれてくる(=創発する)ことも多いのではないのか……。サイモンは、「サイモンの蟻」の挿話を使って、そんなことをわたしたちに伝えようとしたわけです。

この創発現象の議論は、自然な発話に含まれる「いい直し」や「いい淀み」など、非流暢な挙動を捉える上でも、大きなヒントを与えてくれました。わたしたちの発話は、必ずしも合理的に、計画的に生みだされるものばかりではないようです。その場その場のリソース(=認知資源)を駆使《くし》しながら、なんとか思いを伝えようとする。その痕跡《こんせき》として、いい淀みやいい直しなどを含む、非流暢な発話の振舞いとなって現れたのではないでしょうか。

詳しくは、第4章のところで改めて紹介したいと思いますが、こうした視点は、聞き手の視線を手がかりに発話を生みだす〈トーキング・アリー〉と呼んでいる〈弱いロボット〉の中にも息づいているのです。

✿進化する仮想的なクリーチャとの出会い

さて、「人工生命」の研究と出会うなかで、もう一つ刺激を受けたのは「仮想的なクリーチャ」(=人工的な生き物)という存在です。ゲームなどの世界では、すでに馴染《なじ》みのものでしょうか。当時、シンキングマシンズ社に在籍していたカール・シムズが「進化する仮想的なクリーチャ(Evolving Virtual Creatures)」(図2・7)と称する不思議なCG映像を公開していたのです。

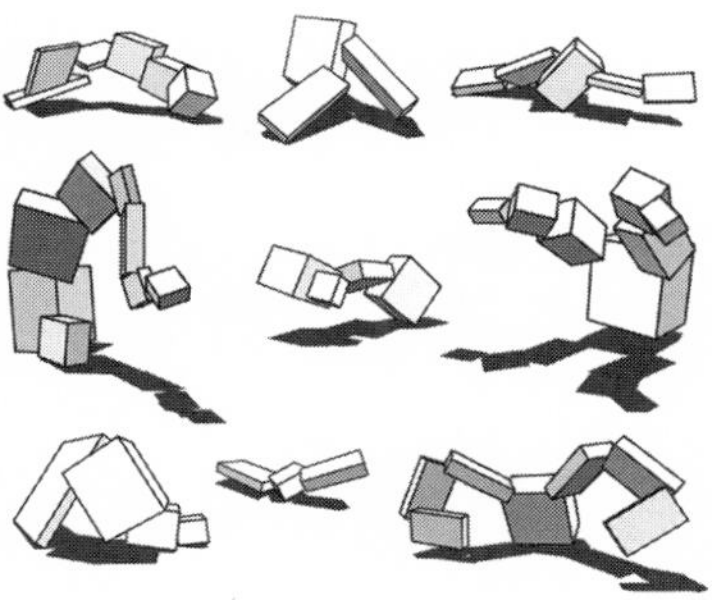

図2・7 進化する仮想的なクリーチャ(Evolving Virtual Creatures)(Karl Sims(1994)Evolving Virtual Creatures, SIGGRAPH '94, 15–22)

このクリーチャは、いくつかの「箱」を組み合わせた、とてもシンプルなものでした。一部の「箱」を手足のように動かしながら、仮想的な水槽の中をゆっくりと泳ぎまわるのです。これでなにをしようというのでしょう。

とりあえず、複数の「箱」を組み合わせ、ある要素を動かしながら、水槽の中で泳がせてみるのです。適当な組み合わせなので、すべてが上手に泳げるわけではありません。その中から、上手に泳げた「箱」の組み合わせパターンをいくつか選び出すのです。これは環境に適応できた生き物だけを残す「自然淘汰《とうた》」に相当します。ここで選択されたパターン同士を組み合わせたり(=交配)、一部を他の要素に変えたりする(=変異)などして、再度、新たな「箱」の組み合わせパターンをいくつか作り出します。これらをもう一度、仮想的な水槽の中に戻して泳がせてみます。そうして上手に泳げるものを選ぶことを繰り返すことで、次第にスムーズに泳げる「箱」へと進化を遂げていくのです。

つまり、カール・シムズの試みは、シンプルな「箱」を利用した仮想的なクリーチャの「進化プロセスのシミュレーション」だったわけです。わたしたちヒトの場合では、二、三〇年くらいで世代を交代させます。しかしコンピュータの中にあっては、ほんの一瞬のことにすぎません。

「シミュレーションの力を借りると、世代交代って一瞬だよね」
「まぁ、大人に成長するところまで考えなくてもいいからね」

「このままどんどん進化させていったら、理想の泳法なんかも見いだせるかも……」
「そもそも、どんな姿が泳ぎに適しているのだろう？」
「自然界に存在する魚のカタチって、最適なものなんだろうか」

こんな風に考えてみると、いろいろな夢やイメージがひろがり、新たな「問い」も生まれてきて楽しいのです。生物の進化の様子をシミュレートしながら、その形態をどのように変えてきたのかを探る、まさに「構成論的なアプローチ」の真骨頂《しんこっちょう》といえます(「構成論的アプローチ」とは、先に紹介したように、対象となる現象を作りながら、その背後にある原理の理解を目指そうとする研究手法のことです)。

これには、現存する生き物の進化をなぞるだけでなく、その「あり得たであろう生き物の姿(life as it could be)」を探るような側面もあります。自然の中に残された生き物たちは、いろいろな進化の過程を経て、たまたま、いまの姿に至ったにすぎません。あわよくば他の姿もあり得たのかもしれない……、そんな可能性も探ってみようというわけです。

この「箱」の進化のプロセスを丁寧に追いかけてみると、ここでも「あり合わせを上手に生かしている」といえそうです。まずは「箱」を適当に組み合わせて、仮想の水槽の中で泳がせてみた。その中で上手に泳げるものを選び、他の箱たちの「これは、おもしろい!」というう泳ぎのコツも借りてきて、組み入れてみる。ただ表面的に真似をしただけではうまくいかないこともあるでしょう。それでも、うまくマッチして、もっと素早い泳ぎを生みだすこともありそうです。

あり合わせを生かして、いいとこ取りをする。くわえて、偶然までも味方につけてしまう。この「ブリコラージュ」に基づく進化方略は、生き物の進化の姿だけでなく、わたしたちの社会や経済、そして科学技術や文化などにも当てはまるのではないでしょうか。

先ほど紹介したフォン=ケンペレンの例も、楽器由来の「ふいご」や「リード」、木製の小箱などを集め、そこに「革製の管」を組み合わせたら、動物の鳴き声のような音が生まれてきたわけです。その管を手で握って遊んでいたら「あ〜」という音声に近づいてきた。偶然にも、小箱の隙間から空気が漏れ出ていて、たまたま「鼻音」のような音声を生みだすことに……、そんな風にして、音声合成器として次第に進化してきたのだろうと思うのです。

✿ 雑談という現象を生みだせないものか

わたしたちの研究の変遷も、このような「あり合わせ」による生物の進化のプロセスとよく似ているようです。


「仮想的なクリーチャが勝手におしゃべりしていたらどうだろう……」

「しゃべりの上手なクリーチャだけがどんどん進化していくとか」

「それじゃ、関西弁だらけに？」

「そこでは、どんな話題が展開されていくんだろうねぇ……」

「えっ、そもそも雑談って、どういうもの？」


こんな議論をしていては、言語学を専門とする方々に笑われてしまうでしょうか。カール・シムズの「進化する仮想的なクリーチャ」の映像に触発されて、「勝手に雑談を繰り広げる仮想的なクリーチャを作れないものか」と、ラボの仲間とひとしきり盛り上がっていたのです。

ただそんな雑談だけで終わってしまってはもったいない。そこで、これをどう実現するかをみんなで考え始めました。ＣＧに関する知識も技術もなく、みな素人同然。「えっ、そのポリゴンって、なんなの？」からのスタートでした（ちなみに「ポリゴン」とは、３ＤＣＧの立体曲面を形作る小さな多角形のことです)。

「とりあえず箱かな?」
「二つの箱が並んでいて、それらがおしゃべりするって、どうだろう?」
「トウフなんかでも、いいよね。プルプルしてて……」

初めはワクワクしながら始めたのです。ところが、いろいろなことを知るにつれ、「どうも勝手が違うぞ……」と思い始めました。当たり前なのですが、仮想世界の中では「木々」や「草花」は勝手に生えてきません。そこは荒涼《こうりょう》とした世界。しかも「重力」も地面からの支えもない。うかうかしていたら、クリーチャはいとも簡単に地面を突き破っていたり、地面から離れてぽっかり浮いてしまうのです。

仮想世界なのだから、どのようなモノを作りあげようと勝手であり、思いのままになるはず。でも、その代わりに全部をわたしたちの手で用意しなければならない。街並みも、そこに生える木々や草花も、そして道路も建物も……。モノはどんどん増やせばよさそうですが、仮想的な生き物であるクリーチャを動かすには、その動作を一つひとつ指定し、重力や地面からの押し返しなどを加味する必要もあるのです。全部、思い通りになるけれども、それは際限がなく、とても手に負えない気持ちになってきました。

いまではゲームの制作環境も充実してきており、物理エンジンなどの助けを借りることが出来ます。しかし、当時のＣＧ技術では、トウフのプルプル感を生みだすのでも、とても大変なことでした。「まぁ、とりあえずシンプルに考えてみよう！」、素人集団に出来ることは限られています。

「箱でもいいけど、球体がぽっかり空に浮かんでいるだけとか……」

「それなら目玉でもいいんじゃない？」

「あっ、そうか。目玉か……」

そのようなわけで、最終的には「おしゃべりする目玉たち」に落ち着きました。荒涼とした世界を背景にして、目玉の姿をしたクリーチャたちがゆらゆら、キョロキョロしながら、他愛もないおしゃべりをしている……。とてもシュールな世界ですが、わたしたちにはこれで精いっぱい。

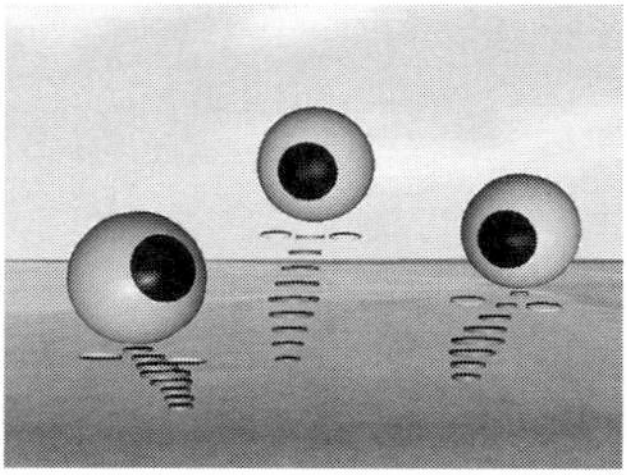

図2・8　仮想的なクリーチャ〈トーキング・アイ〉(Talking Eye)

こうして、わたしたちのその後の研究を決定づけた、〈トーキング・アイ〉と呼ばれる仮想的なクリーチャが生まれてきました(図2・8)。とりあえずなにかを生みだしたいとの思いと技術的な制約との押しあいへしあいの結果だったわけです。

次に、わたしたちの前に立ちはだかったのは、「他愛もないおしゃべりとは、いったいどういうものか」ということです。クリーチャたちは、なぜここで雑談をする必要があるのか。雑談とは、そもそもどのようなものか。なぜ、わたしたちは他者に語りかけるのか。改めて考えると、なかなかの難問なのです。

自分たちでオリジナルな世界を作っているのですから、どう考えようと勝手です。ただ、自由すぎるのも厄介なこと。自由に動かせる反面で、その動きの意味を確認し、一つひとつ指定しなければ動きません。会話についても同じことです。「雑談とは、そもそもどのようなものか」と、まったくの白紙から考え直す必要があったのです。

あらかじめすべてを計画し、発話内容を用意していたのでは、雑談にならない……。考えるまでもなく、シナリオに忠実にそった演劇のようで、いかにも予定調和的なのです。
「雑談って、もっと行き当たりばったりなんじゃないかなぁ……」
「行き当たりばったりって、どういうことだ？」
「あまり考えすぎないっていうか……」

すべてを作り込まなければならない宿命にある「仮想世界」。一方の「雑談」について考えてみると、すべてを作り込んでいては雑談にならない。これはどうしたものか……。こうして「仮想世界」とかかわりながら感じたのは、なにげないことのおもしろさ、そして実世界に備わる豊かさでした。

なにも考えずに、自分の身体を床に横たえてみるとしっかり支えてくれます。それだけなのに、なぜだかホッとしてしまう。なにげなく歩くときも、その一歩の意味を丁寧に考えているわけではありません。そっと地面に一歩を委ねてみると、わたしたちの期待を外すことなく、しっかりと応えてくれるのです。

ちょうどその頃、「ホンダが極秘に開発を進めてきたヒューマノイドロボットが二足歩行に成功した！」とのニュースが飛び込んできました。いままでは、ロボットが軽快に歩いている姿は、珍しくはないでしょう。しかし、当時のニュース映像は、とても衝撃的なもので、なんだかドキドキ、ワクワクしたのです。

「あっ、本当に時代が変わっていくんだなぁ……」
「いずれは、こんなロボットと一緒に生活するようになるのかも」

当時はミレニアムという言葉が飛び交っていた時期でもあり、この〈アシモ〉という名のロボットの出現に、わたしたちの期待も大きく膨らんだのです。

くわえて目を引いたのは、二足歩行ロボットとしての颯爽《さっそう》とした歩き方でした。一歩を踏み出し、わずかに倒れかかろうとするも、ちょうどいい具合に地面が支えてくれて、押し返してくれる。それで動的なバランスを維持しながら、スタスタと歩くわけです。「動歩行モード」と呼ばれるもので、地面を上手に味方につけるように、その物腰も柔らかいのです。〈アシモ〉自身がそんな風に考えているのかはわかりません。けれども、「どうなってしまうかわからないけれど……」という具合に、地面からの支えを予定しながら、その一歩の行く末を地面にそっと委ねてみる。すると、地面はその一歩をそっと支えてくれるのです。これは地面に対する信頼があって、初めて可能になることなのでしょう。
それまでのロボットの歩き方といえば、薄氷《はくひょう》の上をおっかなびっくり歩くような、もっとぎこちないものでした。片側の足底に重心を維持した上で、そーっともう一方の足を前に進める。これは「静歩行モード」と呼ばれるもので、全部、自分の中で完結しようとする歩き方です。身体の外にある「地面」など当てに出来ないというわけなのでしょう。

「あれっ、これは……」
「もしかしたら、雑談にも当てはまることかも……」

自らの中で閉じようとするとギクシャクとした静歩行にしかならない。むしろ外に開くようにして、地面からの支えに身を委ねてみるとスムーズに歩けてしまう。このことは、「他愛もない雑談」に対しても当てはまりそうです。あまり慎重に言葉を選んでいては、なぜか「雑談らしさ」から遠のいてしまう。むしろ、あまり考え込むことなく半ば委ねてみると、相手からの意表を突くような応答にも助けられ、それなりに意味づけられる。そのことで話題も膨らんでいくようなのです。

なにげない歩行、他愛もないおしゃべり、そして本章の冒頭でも紹介した紙粘土あそび……。なにげない行為を成り立たせていたのは、ひょっとしてまわりからの支えなのではないのか。そんな風に考えてみると、いろいろと合点が行くように思えたのです。

自分の中で完結しようとすると、まわりとの関係は疎遠なものに……。そもそも不完全だからこそ、まわりとのかかわりを求めるのか、それとも、他の人とかかわるのが嬉しくて、なにげなく委ねようとしているのか。このあたりは、よくわかりません。

私たちのおしゃべりも、なんらかの思いを相手に伝えたり、そこで共感してもらうだけではないでしょう。相手とのかかわりやつながりそのものを楽しんでいる。そこで生まれる「場」や一体感、オリジナルな意味の共有などを楽しんでいる。そんな側面もありそうです。


「自分の中で完結してしまったのでは、他者とのかかわりは生まれない……」

「そうか。それぞれの発話の意味をもっとそぎ落としたらどうだろう!」

「えっ、そんなこと出来るの?」

「……」

そこで、〈トーキング・アイ〉たちの他愛もない雑談を生みだそうと、「意味のない発話探し」が始まりました。「あれあれ！」「あっ、そうか。あれか！」などの指示詞を多用してみたり、「なんやろうなぁ」と曖昧な発話を工夫したり……。意外にも効果的だったのは、スピーカのボリュームを落とすという素朴な方法でした。ヒソヒソと内緒話をしているようでおもしろいのです。

『ピングー』の世界に学ぶ

どうして、ボリュームを落とすと、雑談しているような雰囲気になるのか。そもそも「意味のない発話探し」などに勝算はあるのか。そんなことを考えていたとき、たまたま出会ったのは、クレイアートによるアニメーションの『ピングー』です。南極に住むピングーと仲間たちの日常をコミカルなタッチで描いたものなのですが、みなさんも一度くらいは目にしているかもしれません。

これはコミュニケーション研究の素材としても、たいへんに興味深いものでした。ピングーとその仲間たちは、ストーリの中で、ときおり、「ビービー」「ブーブー」と声をあげます。

言語音として十分に分節化されていないことから、「非分節音」とも呼ばれています。ちょうど動物の鳴き声や「うんぐー」という乳児の喃語《なんご》のようで、その意味は正確には理解できません。それでも、勝手に想像を膨らませることが出来て、特に困らないのです。むしろ、それらの意味を自由に解釈できる「余地」の存在は、ピングーの世界に参加したり、没入するには都合がよさそうです。

ピングーやピンガたちの「ブーブー」「ビービー」の意味するものは、どこから生まれるのか。もちろん、彼らが発しているのですから、半分は本人たちが生みだすのでしょう。しかし、その「声」だけを聞いてみても、その意味はほとんど理解できません。ところが発話をもう一度、アニメの世界に戻してみると、その意味が自然に立ち上がってくるのです。すこし具体的な場面を見てみましょう。ピングーがあわてて壁にぶつかり、あるいはドアに指をはさんで声をあげる。それだけでも、「痛いと叫んでいるのではないか」と解釈できるでしょう。その状況と一緒になって、その意味を生みだしているわけです。

くわえて、一緒に居る仲間たちの反応も大切な手がかりとなります。ピングーの振舞いや発話に呼応して聞こえるピンガなどの仲間たちの表情や笑い声などです。ピングーの発話の意味は、まわりの仲間たちの声に支えられるように、そこに立ち現れるのです。これらも状況の一つと考えられます。ピングーは、まわりの反応や状況に半ば助けられながら、なんとか自分の「痛さ」を伝えていた。あるいは、伝えようとする意図もなく、そこに立ち現れた意味をまわりの者が勝手に解釈していただけといえそうです。

このようにピングーの非分節音は、十分に意味を表現できない、聞き手も意味を正確に把握できない。そんな「制約」があるにもかかわらず、いくつかの興味深い性質を備えています。

一つは、「自らの発話の意味を閉じることなく、聞き手に対して開いている」ということ。聞き手に一方的に押し付けることなく、むしろ、聞き手の参加を引き出し、一緒に意味を支えあう。そのことで、つながり感のようなものを生みだしているようです。自らではゴミを拾えない〈ゴミ箱ロボット〉とまわりの子どもたちとの関係に、よく似ているのではないでしょうか。

もう一つクローズアップされたのは、コミュニケーションにおける「身体」の役割でした。ピングーが慌てていて壁にぶつかり、とても痛そうな声をあげる。このとき、どうして「痛さ」が伝わってくるのか、とても不思議なことに思うのです。その声や状況を手がかりに解釈しているわけですが、たぶん、わたしたち自身も同じような身体をもっていて、これまでの「痛み」を感じた経験から、推し量っているのでしょう。
言葉では十分に解釈できない、そんな「制約」もあって、コミュニケーションのモードは、「言葉」から「身体」に移行していたわけです。自分を対象に重ねながら、自らの身体で感じていることを手がかりに、相手の感じていることを探ろうとする。つまり、共感的にかかわろうとしていたわけです。

「えっ、言葉と身体って、そもそもどちらが優位なのだろう……」
「言葉の意味が明確に伝わってこないから、自分の身体での感じを手がかりにするのか」
「それとも、言葉は身体での共感的なかかわりを補足するための手がかりの一つにすぎないのか……」

ピングーの世界を眺めるかぎりは、言葉は必須なものではないように思えます。明確な言葉がなくても、その世界に十分に浸ることが出来る。そこに言葉を添えるなら、もっと確かな意味が伝わるのかもしれない。ただ、そのことで解釈の「余地」は奪われてしまうことにも……。と、こんな自問自答を繰り返していては、いつまでも埒《らち》があきません。

その「身体」なるものを作ってみてはどうか

コミュニケーションでは、「身体」が大切な役割を果たしている。ならば、ロボットの「身体」を借りながら議論できないものか。その「身体」なるものを作ってみてはどうか。

「ロボットって、自分たちで作れないのかなぁ」
「コミュニケーション研究の道具として、とてもおもしろそうなんだけど……」

と思いながらも、それほど簡単なことではありません。まだ「身体」とはどのようなものかもわかってはいませんし、ロボット技術に関しても、まったくの素人。ロボットを試作する予算をつけてもらおうにも、まわりを説得する理論武装もできていないのです。

それでも、手をこまねいているわけにはいきません。なんとか「身体」なるものを形にできないか……。そんなとき、再びフォン＝ケンペレンの仕事が頭をよぎりました。とりあえず、ありあわせのモノで作ってみたらどうか。「身体」なるものを知りたければ、それを作りながら考えたらいいのではないか……。ちょっと乱暴な発想なのですが、じっとしているよりマシに思えたのです。

まず足を運んだのは、生活雑貨やモノ作りの素材、工具などを並べているホームセンター。そこをウロウロしていたら、観葉植物用の鉢カバーや植木鉢を載せる台、そして麻袋などがロボットの部品に見えてきました。そこで偶然にも、五cm程度の大きさのスプリングを見つけました。このスプリングの上に、遠隔会議用のカメラを載せてみると、コンピュータからの上下左右の指示に合わせて、全体がプルルンと動いたのです。

遠隔会議用のカメラの動きは、もともと機械的なものなのですが、スプリングに載せられるとプルプル、ヨタヨタした生き物のような動きを伴い、あたかも何かを探しているような「目」に変わるのです。これに麻袋をかぶせ、呉服店から手に入れた三歳児用の雪駄《せった》をはかせたところ、ちょうど麻袋の穴の中から外の様子をのぞいている子どもの姿に見えてきました。これは〝箱男〟なのか、それとも「虚無僧《こむそう》」か……ということで〈コムソウ君〉と呼ばれるようになりました(図2・9)。


「あっ、なにかを探しているみたい……」

「これでいけるんじゃないのかなぁ」

わたしたちのロボット作りは、こんな風にしてスタートしたのです。もう二〇年以上も前のことですから、まだ「ソーシャルなロボット」というジャンルもありません。ほとんど素人だったことも幸いして、たまたま生みだせたものなのです。

図 2・9　あり合わせから生まれてきた麻袋をかぶった〈コムソウ君〉

一つの決め手となったのは、意外にもロボットのヨタヨタ感でした。これは仮想世界でトウフのプルプル感を生みだせないかと試行錯誤し、断念していたものです。たまたま見つけたスプリングによるヨタヨタ、キョロキョロした動きは、バイオロジカル・モーションとも呼ばれるもので、とても素朴な方法ながら、生き物らしさを表現できたのです。

まさに「あり合わせ(=ブリコラージュ)による偶然の産物」でしょう。このヨタヨタ感と出会わなければ、いまには続いていなかったと思います。

もう一つのポイントは、こうした経緯から、とてもシンプルなロボットが生まれたことです。ロボット技術に関して、ほとんど素人であり、ヒューマノイドやアンドロイドにはとても手が届きません。手や足があるわけでもなく、ただヨタヨタ、キョロキョロするだけ。それにもかかわらず、どこに関心があるのか、うなずいているのか否定しているのか、それなりに伝わってきます。志向性や社会性の表示などの、ソーシャルなロボットを構成するための必要最小限の要素がそこに集約されていたのです。

目の前の対象を理解しようとシンプルな模型(=モデル)を作ってみる。ここで大切なのは余計なモノをそぎ落とし、本質的な要素だけを残すこと。もっとも、わたしたちの場合は、シンプルなものしか作れなかったのです。いまでも、あまり人型のロボットにとらわれることなく、まさにトウフの姿をしたロボットやランプの姿をしたロボットなども構築しているのですが、「ソーシャルなロボットのミニマルデザイン」という発想は、こうした背景からたまたま生まれたものなのです。

✿〈む~〉の誕生

あり合わせによって生みだされた、麻袋の中から外をのぞく子どものようなロボットは、その後に〈む~〉というソーシャルなロボットに生まれ変わり(図2・10)、わたしたちの代表作の一つとなりました。先の〈トーキング・アイ〉は、おしゃべりする目玉なのですが、この〈む〜〉は中国語で「目」を意味するようです。

なぜ一つ目のロボットなのか。麻袋の中から外をのぞく際に、その穴が一つだったからです。なぜ手足がないのか。これは麻袋の中に隠れていたから……というより、手足をつけるほどの技術力がなかったから。くわえて、必ずしも手足を必要としていなかったからです。これはどういうことでしょう。そのヒントは、先に述べた「ピングー」にありました。「意味のない発話探し」をしながら、その音声のボリュームを落としたり、幼児の喃語に着目する中で、たまたまたどり着いたのが「ピングー」の非分節音です。その意味は不明確にもかかわらず、まわりとのかかわりから意味が立ち現れている。これはロボットの姿やデザインにも、当てはまるのではと考えました。「もうロボットのカタチをデザインする時代ではない。むしろ、まわりとの関係性に目を向けるべきなのではないか」と。

図 2・10　目玉のような，幼児のような〈む〜〉

新たに生みだされた〈む〜〉は、麻袋に包まれたロボットの影響を受けつつも、シンプルなラインで、幼児のかわいらしさを表現しています。目が大きく、顔の真ん中にあり、頬が丸くて、ヨタヨタしている。そして体表が柔らかい。これらは動物行動学者のコンラート・ローレンツという人の整理した「幼児図式」として知られているものです。

この〈む〜〉が生まれて間もない頃に、近くの幼稚園にもち込んでみる機会がありました。とりあえず、子どもたちと〈む〜〉とのかかわりを観察しようとしたのです。

しかし、子どもたちの行動というのは、しばしばわたしたちの想定を超えてしまいます。思い描いていたようには、かかわってくれません。どうも手がかりを欠いていたようで、五歳前後の子どもたちの多くは、この〈む〜〉を目の前にして固まってしまうのです。

そこで、子どもたちと〈む〜〉との間に「積み木」を置いてみました。積み木遊びなので、ロボットを目の前にして一人で遊んでもいいし、ロボットとかかわりながら一緒に遊んでもいいのです。

それと〈む〜〉の機能にも工夫をくわえ、目の前にかざした積み木の色を答えさせたり、「次は、平べったい黄色の積み木にして！」などと、子どもに指示するようにしてみました。ロボットからの要望に応えて、子どもたちはどこまで積み木を操作してくれるのか。そのかかわりの様子を観察してみたのです。

すこし慣れてくると、子どもは〈む〜〉からの指示に先回りをするように、「次は何するの？」と話しかけ、その合間に〈む〜〉の頭をなでながら、世話を始めたのです。〈む〜〉の拙《つたな》い振舞いにしびれを切らしてのことなのでしょう。

「子どもたちの世話をしてくれるロボット」というのは、わたしたちの勝手な思いにすぎなかったようです。実際は、ロボットにくらべて子どもたちの能力は圧倒的に勝っており、子どもたちが〈む〜〉の世話をしていたのです。

こうした逆転した光景を目のあたりにして、「ロボットの〈弱さ〉には積極的な意味があるのではないか……」と考えるようになりました。ようやく〈弱いロボット〉の輪郭《りんかく》が見えてきたのです。

これを契機として、先に紹介した、自らではゴミを拾えないけれども、まわりの子どもたちの手を借りながら、結果としてゴミを拾い集めてしまう〈ゴミ箱ロボット〉や、街角にたたずみながら、そこを行き交う人にティッシュを配ろうとする〈アイ・ボーンズ〉、子どもたちに昔話を語り聞かせようとするも、ときどき大切な言葉をモノ忘れしてしまう〈トーキング・ボーンズ〉など、いくつかの〈弱いロボット〉が生まれてきたのです。

❁あの「壁」がさりげなく諭してくれていた……

この章では、〈弱いロボット〉のアイディアに到達するまでの経緯を丁寧にたどりながら、わたしたちのちょっと泥臭《どろくさ》い研究スタイルを紹介してみました。

あっちにぶつかり、こっちにぶつかりながら、なんとか現状を切り抜けようとする。その様子は、まさに砂浜の上に残された蟻の足跡やお掃除ロボットの振舞いのようでもあり、とても行き当たりばったりなものでした。

どうしてこんな歩みを続けてきたのか……。こうして後から振り返ってみると、その時代背景や一つひとつの判断の良し悪しは、よく見えるのです。ただ、誰しも歩いているときには、それはどんなものなのかわからず、とても見通しの悪いところを歩いているわけです。

ここでは、あり合わせのモノを生かしながら、その場をなんとか切り抜ける「ブリコラージュ」と呼ばれる考え方を紹介してみました。合理的に、計画的に考えるよりも、むしろ回り道をしたり、壁にぶつかるたびに、大切なヒントを手に入れ、解決策を偶然に見つけたりすることも多いのです。それはふだんの生活でも同じだろうと思います。

あの時に、ジャンケンで負けていなかったとしたら……。たぶんここにはたどりつけてはいなかったのです。〈む～〉も、〈ゴミ箱ロボット〉も、そして〈弱いロボット〉の研究も、この世には存在していなかったはず……。そんな風に考えてみるとなかなか不思議なものですね。

フォン＝ケンペレンの音声合成器やその仕事のスタイルとの出会い。発話の非流暢性の研究と人工生命研究との思いがけない出会い。荒涼とした仮想世界から離れて感じた、なにげない床や地面からの支えのありがたさ。雑貨屋さんでの「ランドリーバスケット」との出会い。これらは、すべて偶然のことでした。でも、いまとなってはかけがえのないことばかりなのです。「出会うのは偶然だけれど、出会ってからは必然……」とは、なかなかおもしろいものです。

こうして紆余曲折《うよきょくせつ》を振り返ってみると、わたしの研究スタイルはいたってシンプルなものだったようです。それは「さまざまな〈壁〉との出会いを味方にしてしまおう！」ということ。かつては行く手を阻んでいるように見えた〈壁〉も、「こちらは、あなたの進むべきところではありませんよ！」とさりげなく諭していたのかもしれない……。せっかくなので、そんな風に思うことにしています。

第3章

「獲得」から「参加」へ

実社会と学校教育とのズレをヒントに「学びのスタイル」を再考する

豊橋技術科学大学に赴任して、そろそろ二〇年近くになります。初めの職場となったNTTの基礎研究所、そして国際電気通信基礎技術研究所(ATR)から、大学に移籍して仕事を始めてみると、会議などでの意思決定の方法とか、定期テストによる学生の評価の方法など、さまざまな制度や文化の違いに戸惑《とまど》うこともありました。と同時に、その差異にも興味を覚えました。

それと、この大学の約八割の学生は全国の高等専門学校(以下、高専)から集まっており、その中には、高専ロボコンやプログラミングコンテストなどで活躍していた学生たちもたくさん在籍しています。そうした幸運も重なって、わたしたちのラボ(ICD-LAB)に集まってくれた学生たちと、数多くのロボットを生みだすことが出来ました。現役・歴代のものを含めると約三〇タイプほど。いずれも、ちょっと変わったロボットばかりです。

この章では、実社会と学校教育との違いなどに留意しながら、新たな学びのスタイルについて考えてみようと思います。これまで「テストはひとりで受けるもの、誰の手も借りてはいけない！」との不文律《ふぶんりつ》があるためなのか、「なんとか自分ひとりで、ロボットを作ってみよう！」と思う学生も多いのです。ただ、新たなロボットを生みだす活動は、自分の学びのためだけではなく、誰かに喜んでもらうための文化的な活動だと思うのです。

ここでは、「学びとは、文化的な実践への参加だ！」との言葉を手がかりに、みんなでオリジナルなロボットを生みだすことの楽しさとか、コツについて考えてみます。それはすなわち、社会に参加していくコツのようなものかもしれません。

大学で講義を担当してみた……

大学教員として、初めて担当した講義は「知識工学」です。この講義では、カーナビにも使われる経路探索の問題、将棋などのゲーム理論、そしてロジックを重ねながら推論していく技法など、古典的な人工知能の話題を扱います。いずれもスタンダードな理論として定着しており、準備をすれば説明すること自体はさほど難しいものではありません。

ただ、大学の講義として学生たちの前で説明するとなると話は別です。どんな話し方をしたらいいのか、板書なのか、それともパワーポイントか、いろいろと気になります。そんな状態ですから、学生たちの様子をながめる余裕などありません。どこまで説明したのか、次にどんな説明をすべきかを考えながら、五〇名を超える学生の前で、理路整然と「講義」を進めます。新任の教員であることを悟られまいと必死なのです。

しばらくは、ドキドキしながらの講義でした。それでも、少しずつ学生たちの様子をながめる余裕も生まれ、講義中の「間あい」のコツもわかってきました。そうした頃に、あることが気になりました。学生たちの多くはあまりノートを取ろうとしないのです。「資料を眺めていればいいや!」ということなのでしょうか。

「あれっ、どうした。なんでノートを取らないの?」
「この内容じゃ、ちょっと難しすぎるのかなぁ……」
「定期テストのとき、大丈夫なんだろうか?」
「それにとても退屈そう。ひょっとして、学ぶ気がないのだろうか……」

毎週、懸命に準備をして講義に臨んではみたものの、「結局、学んでいるのはわたしだけなのかも……」と焦ってきました。同僚のアドバイスによれば、「学生たちの私語が気になったら、すかさず板書を始める。すると、誰ともなくノートを取り始め、そのうち私語も収まるはず……」とのことでした。でも、なんだか勝手が違うようです。

おもしろそうな話題には、耳を貸してくれるけれど、興味のないことには、あまり反応しません。どうしてなのかなぁ……と考えていたのですが、これにはこの大学ならではのワケがありました。

この大学に在籍する学生たちの約八割は、全国の高専の卒業生です。彼らを三年次に編入させ、大学院の修士課程まで一貫教育をする。そんな制度設計になっていました。高専は五年間の一貫教育で、大学への編入試験もありますが、それは大学入学共通テストのような種類のものではなく、関門というほどではありません。

そんな事情も重なって、学生たちの多くは音楽やゲーム、そしてモノ作りやプログラミングなど、好きなことに熱中して高専での生活をすごしてきたのでしょう。いい意味で、正直であり、穏やかなのです。わたしの担当した「知識工学」も、人工知能の基礎的な考え方についてては、高専時代にすでに学んでいたようです。

しばらくして、だんだんと学生たちの素性もわかってきました。プログラミングセンスは天才的なのに、なぜか「プログラミング」の授業の単位を落としかけたり、デザイン力は抜群なのに、授業全般の成績は芳しくなかったり、といった学生もいました。

彼らに話を聞いてみると、そうした学生の多くは、高専時代にロボコンやプロコン、デザインコンテストなどで活躍していた強者《つわもの》ばかり。この大学は、「もしや天才技術者なのでは……」と思うような学生たちの巣窟《そうくつ》だったのです。

いまから思えば、彼らは「授業」に興味がなかったというより、「こんな知識偏重の授業では、ロボット作りに必要なノウハウやプログラミング技術などを学ぶことは出来ない」と身体で知っていたのでしょう。上辺だけの知識は、何も役に立たないのだと……。

まだ〈定期テスト〉ってあるんだ!

赴任したばかりの頃、大学の教育制度についても、いくつか気になる点がありました。特に、〈定期テスト〉という言葉や試験のあり方に、なつかしさだけでなく、どこか違和感を覚えたのです。

半期の間に、教師は懸命に講義の準備をし、担当する分野に関する体系だった知識を〈まだ知らない者〉に効率よく注ごうとします。そして頃合いをみて、学習者の「頭の中」にどれくらい溜まったかを〈テスト〉で測ってみる。学習科学の世界で、〈注入主義〉と呼ばれるものです。くわえて大学は、学生たちに社会のルールを教え込む場でもあり、定期テストでのカンニングなどの不正行為に対しては、とても厳しいのです。

この間まで企業の研究所で働いていた者にとって、「テストはひとりで受けるもの、誰の力も借りてはいけません」との不文律は、不思議なものに思えます。「知らないことは、知っている人に聞けばいいじゃないか！」は、あまりに不謹慎でしょうか？

学校の外の世界ではどうでしょう。どのような職場であれ、人と一緒に仕事をしていくためには、「知らないことは、知っている人に聞く」という姿勢や「このことは、あの人に聞けばいい」という知恵は、とても大切なことに思えます。学校の中で授業や教科書で学ぶ体系的な知識を「学校知」と呼ぶのに対して、職場の中にある「このことは、あの人に聞けばいい」というような、職場の中に分かちもたれている知は、「組織知(institutional memory)」と呼ばれており、とても大切にされているものです。

それと〈弱さの情報公開〉といって、「いま困っていることを周囲の人に開示できている」、「困っていることをすぐさま周囲の人に相談できる」ことは一人ひとりにとっても、組織にとっても重要な要素なのです。

たしかに、定期テストの時間では、そうはいかないでしょう。「誰か助けて！」と声を上げるのも変だし、目の前の問題が解けないのは、昨晩までのテスト勉強を疎かにしたため。それは恥ずべきこと、他の人には隠しておきたいことかもしれません。

大学に身を置いてしばらくは、こうした学校教育での〈あたりまえ〉と、社会の中での〈あたりまえ〉との差異がとても気になったのです。けれど、そうした違和感が、のちに新たな活動を進めるきっかけとなりました。

✿学生たちの「モノ作りマインド」に応えなければ……

学生たちがじっと我慢しながら、わたしの拙い講義に付きあう……。「これでは申しわけないなぁ、ちょっともったいないなぁ」と思いました。せっかく「モノ作りマインド」や「デザインセンス」にあふれた学生たちが集まっているのだから、なにかもっとワクワクするような授業をデザインできないものか。彼らの期待に、もっと応えなければ……。

そこで、ラボに集まってきた学生たちにも手伝ってもらい、新たな「教育プログラム」を作ってみることにしました。テーマとしたのは、「次世代ロボット」です。

「ロボット作りは、総合格闘技だ！」と指摘されるように、企画・立案に始まり、機構設計、外装のデザイン、マイコンとその周辺回路、音声認識・合成や自然言語処理、画像処理などのソフトウェア技術、そしてインタラクションデザインなど、多様な技術要素を含んでいます。一人の学生の力量だけではカバーしきれないこともあり、いろんなスキルをもった学生たちの協働を引き出すには、とてもおもしろいテーマなのです。

もう一つのポイントは、まだ手本がないことです。一〇年後、わたしたちの身のまわりでは、どんなロボットが活躍しているのか。それは誰も知らないことで、正解もありません。新たなロボット作りを通して、一〇年後のわたしたちの暮らしをデザインしてみる。学生たちの技術力やデザイン力だけでなく、柔軟な発想やアイディアを十分に引き出せるテーマに思えたのです。

「パソコンの父」と呼ばれるアラン・ケイの言葉の一部を借りれば、「未来を予測するのは難しい。ならば、その未来を作ってしまおう!」。その名も、「次世代ロボット創出プロジェクト」(二〇〇七～二〇〇九年度)、その後継となった「TUTオープンチャレンジプロジェクト」(二〇〇九～二〇一二年度)。これらは〈弱いロボット〉シリーズをたくさん生みだすプロジェクトの母体となりました。

✿学びとは、文化的な実践への参加だ!

新たな教育プログラムをデザインするにあたって、頭の片隅にあったのは、これまで認知科学や学習科学の分野を先導してこられた、佐伯胖《ゆたか》先生の次のメッセージです。

その内容(佐伯胖「21世紀の新しい学習環境の創造に向けて」(二〇〇一年))をわたしなりにまと

めると、「文化的な実践として、世の中に価値づけられていることを生みだしている共同体に、自ら独自のあり方を生かして参加し、そのような参加を深めながら、自分の強みや立ち位置(=アイデンティティ)を確立し、それを共同体の中で、互いに受け入れあい、称えあう……」、となるでしょうか。

テストは一人で受けるもの、誰の手も借りてはいけない。練習問題には、いつも正解が用意されている。一つのクラスには、同じ専門分野、年代の学生が集まる。教室という「ハコ」の中で「いま・ここ」を共有する……。こうした学校教育の中にある「あたりまえ」を見直し、新たな学びの場をデザインしていく上で、佐伯先生の「学びとは、文化的な実践への参加である」との言葉はわたしにとって大きな支えとなりました。

ここでのポイントの一つは、「本物である」こと、それは「学びの真正性」とも呼ばれています。

学校での学びでは、ふつう「練習問題」とそれに対する「正解」がいくつも用意されています。これを繰り返し解くことで、将来に備えることが出来る。このことは、決して悪いことではありません。世の中に出てから失敗を繰り返すよりも、先に練習しておいた方がよさそうにも思えます。ただ、海外旅行に出かける前に、英語での会話やホテルでの食事のマナーを練習するのと同じで、どうも熱が入らないのです。

それに、何のために学ぶのか。あるいは、何のためにロボットを作るのかというのもポイントです。それを「練習」と捉《とら》えてしまうと、それは「自分(たち)のため」であり、自分(たち)が作りたいから……。それでは、どこか内向きに思えます。

では「文化的な実践」とは、どのようなことか。ちょっと難しい言葉に聞こえるかもしれません。ひと言でいえば、「自分(たち)のため」ではなく、「誰かに喜んでもらうため」の活動ということです。これは使い手に対する共感を伴ったものであり、「デザイン思考」とか、「ユーザーセンタードデザイン(user-centered design)」の考え方にも通じるものです。

そもそも、「自分のため」であれば、みんなで行う意味はありません。「誰かに喜んでもらえること」であれば、みんなで取り組める、そして意味のある活動となるのです。「学びとは文化的な実践への参加だ！」というのは、そんな社会的に意味のある活動に、みんなで参加しながら、そうしたかかわりの中でさまざまなことを学んでいくものだと思うのです。これを先ほど引用した佐伯先生の言葉に当てはめてみると、次のようになります。

「こんなロボットを生みだせたら、きっと世の中を変えることが出来るかも……」、「誰かが喜んでくれるに違いない」、そんなことを懸命に考えているプロジェクトに、もっとも得意なところで、自分をもっとも生かせる方法で参加してみる。

「デザインだったら、少しは自信あるかな……」、「プログラミングなら、任せて！」、「あまり技術的なことは自信ないけど、アイディアくらいは出せるかな」、「あまり難しいことは出来ないけれど、はんだ付けくらいなら手伝えるかも……」というわけです。

みんなで活動を進める中で、自分では思ってもみなかった強みや意外な側面も見えてくることでしょう。「わたしのデザインセンスも、思っていたほど悪くないなぁ」とか、「この作業なら、いつまでもやれるかも……」など。まわりとのかかわりの中で、自分の役割や活躍の場を見いだしていく。つまり、そこで自分らしさ＝アイデンティティを確立していくのです。

そんな風に、次第に参加を深めていくとどうでしょう。他の人からも期待されるようになり、やがて文字通り「かけがえのない人」になっていく。「このプロジェクトの成功は、彼らの貢献なくしてはありえない！　これはすごい！」と、お互いの強みや貢献を称《たた》えあうわけです。

専門分野や大学の垣根を越えて

こうした「文化的な実践への参加」に基づく学びの場のデザイン手法を、大学での通常の授業の中に取り込むには……。ちょっと考えただけでも、いくつものハードルがありそうです。

学校教育の多くは、同じ年代、専門分野の学生たちが一つのクラスを構成し、同じ時間に教室という「ハコ」に集まることを前提としています。習熟度別のクラス編成など、ある体系だった知識を学生たちに伝授するには、効率的でかつ効果的なのでしょう。

ただ、これも学校の中の「あたりまえ」であり、必ずしも企業の中での「モノ作り」には当てはまりません。新たなモノを生みだすとき、そのアイディアやデザインなどは「オリジナル」でないと意味をなさず、あらかじめ「正解」も用意されていないのです。新たなロボットを生みだす上で、均質な集団ではなく、むしろ多様な技術や価値観をもった「非均質な集団」であることが必須に思えます。

もう一つのハードルは、初学者の「参加」のプロセスにあります。ロボット作りを学ぶ上で、誰しも初めは素人です。では、どうやって熟練者へと育っていくのか。ふつうは「あまり難しいことは出来ないけれど、はんだ付けくらいなら……」というわけで、「間違っても大きな影響のないところから参加し、その参加を深めながら、かけがえのない人になっていく」わけです。

この「周辺的な参加から、十全《じゅうぜん》な参加への移行プロセス」そのものを「学び」と捉えているのですが、その共同体には先達者、つまり中心的な役割をもって参加している人たちも必要なのです。初学者ばかりが集まっても、なかなかプロジェクトは前に進んでいかない。十全な参加への移行を促すような学びの場となってくれないのです。

この二つのハードルをどうクリアしていけばいいのかを考えたとき、「いっそのこと、専門分野や大学の垣根を外せばいいじゃないか」というアイディアが浮かんできました。

「この大学には、情報、機械、制御、そして電子工学を学んでいる学生たちがたくさん……」

「じゃ、学科の枠を越えて、みんなに参加してもらったらどうか……」

「大学の垣根も外して、デザイン系の学生たちと協働できたら楽しそう……」

「えっ、そんなことが大学の授業の中で出来るの?」

それに、初学者と熟練者の混在した学習共同体をどう作ったらいいのか。これもハードルは高そうです。

「すでに技術的に熟練した学生たちなんだけど……」
「どうして共同体に参加し、学びなおす必要があるのか……」
「でも、人に教えながら、自らも学ぶこともあるのではないか……」
「そんな暇な学生って、本当にいるんだろうか？」

と、いろいろクリアすべき課題もありました。ただ、企画の段階であれば、いろいろと夢は描けそうです。学年をまたいで、学部の二、三年生と大学院学生との協働はどうか。ロボコンなどで活躍する高専生と連携してもおもしろそう。いっそのこと、ネットワーク型の「オープンラボ」にしてはどうか……。

こんな大胆な試みは、たぶん、大学に赴任したばかりで、大学という組織に疎く、まったくの素人だったから出来たことなのだと思います。こうして、「ＴＵＴオープンチャレンジプロジェクト」という名の破天荒《はてんこう》なプログラムが生まれてきました。いまではとても手が出せそうにありません。

❁「TUTオープンチャレンジプロジェクト」始動！

もう少し、このプロジェクトの具体的な枠組み、活動の内容を紹介したいと思います。

全国の大学で、「特色GP」など、新たな教育プログラム開発を競っていた頃です。わたしたちのプロジェクトも、文部科学省の「理数学生応援プロジェクト」などの支援を受けて、学部三年生の学生実験の一部をお借りして実施しました。本来は、学内のいろんなところで了解していただく必要がありそうです。でも、「外部から資金を獲得できているなら……」と黙認してくれたのです。

「半年の間に、学生たちのモノ作りマインドやアイディアを生かして、未来志向のロボットやメディアを生みだしていく」、プロジェクトの趣旨としてはとてもシンプルなものです。具体的には、第1章で紹介したような、企画・立案のためのブレーンストーミングに始まり、毎年、六〜七つのプロジェクトに分かれてのプロトタイピング、最後は、市内の子ども向け体験施設でデモ展示を行うようにしました。

MITのメディアラボから生まれた「デモか死か」との言葉があります。その意味するところは、「アイディアを生みだすことは大事だけれど、実際にデモが出来なければ問題外」

ということ。つまり、「本当は、こんな仕組みで動くはずなのです！」ではダメで、実際に動かしてデモンストレーションできないと意味がないのです。デモ展示に向けては、そのことを徹底しました。子どもたちというのは、もっとも手厳しい評価者であり、ここをクリアできなければ、一般の方々にも受け入れてもらえるモノにならないのです。

中心メンバーは、毎年、情報分野の三年生、二〇名ほどです。また学内の機械・制御《せいぎょ》分野の学生たち、京都にある芸術系大学の学生たち、そこに、わたしたちのラボに所属する大学院学生がメンターとして加わり、総勢、四〇名ほどになりました。

学科をまたぎ、大学の垣根を越えて、非均質なメンバーによる学習共同体を作る。複数の実習科目を連携させる形で、初学者と熟練者とが混在した共同体を作る。くわえてネットワーク型のオープンラボとすることで、教室という「ハコ」の制約から逃れる。どうにか、こうにか、そんな枠組みが動き出しました。

絵心のある学生の「絵」を技術系の学生たちが手伝うことで、新たなアニメーションやインタラクティブ・アートになります。また、プロダクトデザインの実習で作製したモックアップ(＝実物大の模型)に、アクチュエータやセンサーを追加し、それを動かすことで、「未来志向のロボット」に生まれ変わるのです。

とはいえ、半年間のプロジェクト。その間に、企画・立案、機構設計、プログラミング、そしてデモ展示を行うのですから、なにかと限りがあります。授業の一部として行うので、プロトタイピングに使える予算も、部品も、すべてが揃うわけではありません。ここに集まってきたメンバーにしても然り……、プロの集団ではありませんし、誰もが学びの途上にある学生たちなのです。

そこで活躍したのは、第2章でも紹介した「ブリコラージュ」という考え方です。予算が足りない、部品が足りない、技術や経験が足りないなど、ないない尽くしの状態をアイディアや工夫でなんとかカバーできないものか……。結果的には、このあり合わせ感、よせ集め感がむしろ功を奏しました。

かつて、「ゴミを拾い集めるロボットに、アームをつける予算も技術もないなら、まわりの子どもたちの手を借りてしまおう!」などと考えたように、こうした制約を味方につけることで、偶然の中から、とてもシンプルでユニークなロボットたちが生まれてきたのです。

✿未来志向のロボットやメディアとは?

一つひとつ詳しくは紹介できませんが、いくつかの雰囲気を少し紹介してみましょう。

(a)何気ない会話の中に、気ままに参入しようとする〈Sociable Spotlight〉

「いつものことだよ……」「えっ、まじ?」「考えられない……」「だよね……」、そんなテーブルを囲んで繰り広げられる会話の最中に、スポットライトからの光がある発話者にそっと近づいてきたり、他の人に近づき、発話をそっと促したり……。スポットライトが何らかの意思をもって、わたしたちの会話に「控えめな参加者」となって現れたらどうか。〈Sociable Spotlight〉は、そんな狙いから生まれてきたクリーチャです(図3・1)。

図 3・1　意思をもったように振る舞う〈Sociable Spotlight〉

図 3・2　カメラのようなロボット，ロボットのようなカメラ〈peepho〉

(b)子どもたちの表情を捉える「カメラ小僧のようなロボット」〈peepho〉

子どもたちの喜んだ顔、泣いた顔、不機嫌な顔……。子どもたちの見せる表情は、他者とのかかわりの中から立ち現れるものなのかもしれない。それでは、ロボットと遊んでいる子どもたちの表情とは、どのようなものか。その表情をロボットの「内なる視点」からのぞいたならどうか。

この「カメラ小僧のようなロボット」(peepho)のデザイン(図3・2)は、昔のカメラ屋さんで使われていた、ちょっと怪しい暗幕を被ったような撮影機がモティーフとなっています。

(c)指先の動きに隠れている気持ちをオノマトペで伝えてくれる〈トントンフォーン〉

机の上で指先をトントンさせていることはないでしょうか。ついやってしまう何気ない仕草。しかし、そこには口に出せないような気持ちが隠されているかもしれません。

図3・3　指先のトントンで気持ちを伝えようとするメディア〈tongtongPhone〉

図3・4　お皿やコーヒーポットの姿をしたクリーチャ〈Sociable Dining Table〉

〈トントンフォーン〉(tongtongPhone)は、この気持ちをオノマトペで伝えようとするコミュニケーションメディアです(図3・3)。

(d)一〇年後の未来を志向したダイニングテーブル〈Sociable Dining Table〉

家族のだんらんを支えるコミュニケーションスペースとして、とても大切な役割を担うダイニングテーブル。そんなテーブルの上で、ポットやお皿が自由に動き回り、わたしたちとの間で意思疎通できたなら、わたしたちの生活をどのように変容させるのか。こうしたテーブルウェアたちとの間で、「テーブル上のノック」だけで、家庭内言語とも呼べるプロトコルを獲得・共有しあえたらどうだろう。なにも役に立たないけれど、そこに居てくれないとなんだか寂しい。そんな新たな存在になるのではないか。

この〈Sociable Dining Table〉は、ポットやお皿のようなクリーチャです(図3・4)。

(e)マンチカン歩きを目指した〈Be-Go〉

大学のマスコットとなるような、シンプルでかわいいクリーチャを作れないものか。手がかりとしたのは、「ネコ界のダックスフント」といわれるマンチカン。脚が短いので、歩く姿がとてもかわいいのです(図3・5)。

「コンセプトは、マンチカン歩き！」

「シンプルなキャラクタ、小さくても高性能！」

「B5サイズくらいがいいんじゃないの……」

「ならば、その名も〈Be-Go〉で！」

「おー、なるほど……」


この生き物らしさやヨタヨタ感をどう表現したらいいのか。そんなとき、機械・制御を専門とする学生たちが「ヘッケンリンク機構」を利用し、マンチカンの歩行の雰囲気を実現してくれたのです。

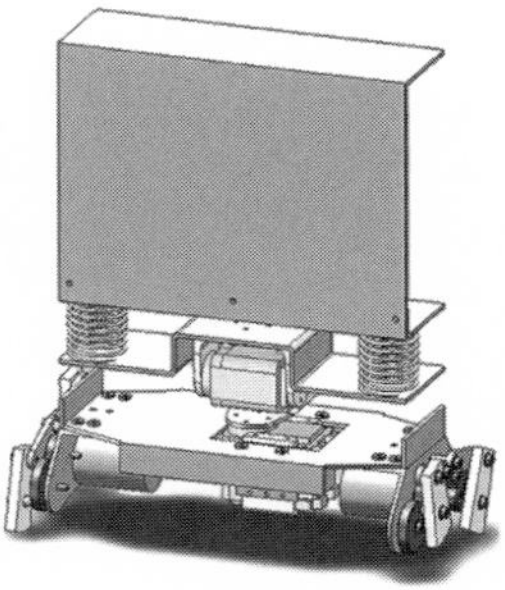

図 3・5　マンチカン歩きからヒントをもらった〈Be-Go〉

その他にも、パソコンの筐体《きょうたい》が柔らかなものであったらどうか、退屈なときには、コクリ、コクリと居眠りを始めたり、軽く叩いて起こしてあげると、ビクッとして起き上がり、何事もなかったように仕事を始めるような……。そんな発想から、ウレタン樹脂というとても柔らかな素材で作られた〈Sociable PC〉が生まれました。いまでは〈トウフ〉との愛称で呼ばれ、わたしたちのラボで〈弱いロボット〉の一つとして活躍しています。

✿〈アイ・ボーンズ〉の誕生

この頃に生まれた代表的なロボットに、第1章でも紹介した、ちょっと不気味でかわいい姿をした〈アイ・ボーンズ〉があります。博物館などで「こども館長」のように展示物を案内してくれるロボットは作れないものか……。学生たちとの議論の中から生まれたのは、なぜか「ホネ」というモティーフでした(図3・6)。

図3・6　背骨をモティーフとした〈アイ・ボーンズ〉(iBones)

「えっ、どうしてホネなの?」

「だって、博物館には、恐竜の骨がいっぱいあるじゃないですか!」

「おー、なるほど。それでホネか……」

ノートの片隅に、落書きのように描かれた「ホネ」。なかなかナイーブなもので、とてもロボットに結びつきそうもありません。「もうちょっと、なんとかならないかなぁ……」、そんな思いに応えるように、そこに絵心のある学生が参加し

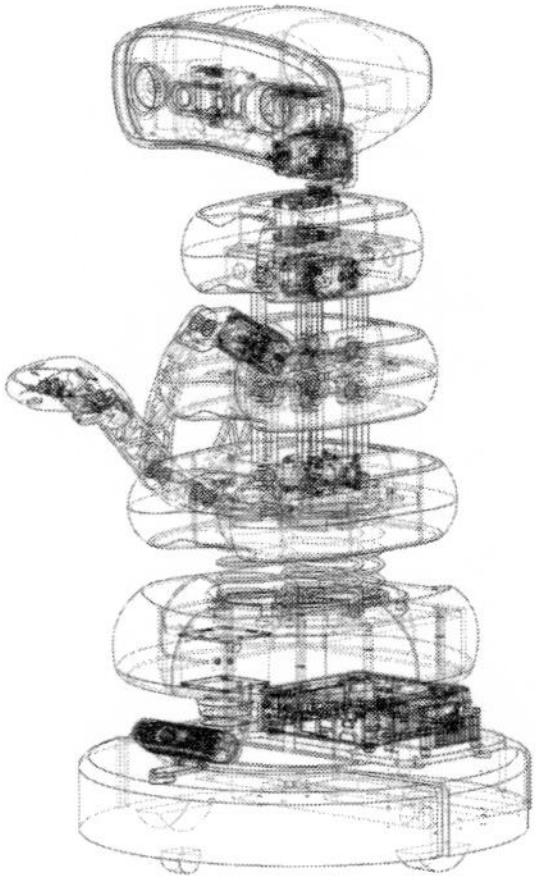

図３・７　約200個の部品から構成される〈アイ・ボーンズ〉の設計図面

てくれたのです。「デザインセンスが半端ない！」とは、このことでしょう。「ホネ」のナイーブなスケッチは、いつの間にか、背骨の一片をキャラクタ化した、柔らかなラインをまとう３Ｄモデルに変身しました（図３・７）。一九八〇年代に話題になった映画「Ｅ．Ｔ．」を彷彿とさせる、不気味でかわいい〈アイ・ボーンズ〉に生まれ変わったのです。

そこに「機構設計は、自分たちに任せて！」とばかり、ロボコンで鍛え上げた学生たちも参加してくれました。「ホネ」と「ホネ」とをパラレルリンク機構でつないで、サーボモータで動かすようにしました。そこからは、情報系の学生たちの出番です。モータの制御プログラムを組み上げ、あれよ、あれよと、その「ホネ」をモティーフとしたロボットは、カクカクと動き始めたのです。

そこに偶然も味方をしてくれました。パラレルリンクのジョイントの設計が甘く、モータのカクカクした動きに合わせて、全体は、ゆらゆら、ヨタヨタ……。いい感じに「生き物らしさ」が生まれてきたのです。

「背骨」は脊椎《せきつい》動物にとって、とても重要な役割を果たしています。このことは、人とのかかわりを志向する「ソーシャルなロボット」にとっても例外ではありません。

脊椎のしなやかな働きによって身体のバランスが整うと、頭部も安定します。何かを探したり、振り向いたり……。人とかかわろうとする際にも、どこに注意を向けているのか、うなずいているのか、否定しているのか、そんな社会的な表示機能も生まれるのです。くわえて、脊椎を中心に体幹《たいかん》がしっかりしてきて、腕などの体肢をつけることも可能になりました。モノを把持したり、誰かに何かを手渡すような機能も備わるのです。

その後、この〈アイ・ボーンズ〉は、街角でポケットティッシュを配ろうとしたり、アルコール消毒のお手伝いをしたりと、さまざまな姿へと進化していきました。

✿熱意の連鎖とは

〈アイ・ボーンズ〉などをきっかけに、それぞれの分野のエキスパートが集まり、「よってたかって作る」スタイルが生まれました。これは、ちょうどラグビーなどのパスワークにたとえることが出来ます。

「よし、ここは任せて！」とボールを受け取ったら、トップスピードで走り、果敢《かかん》にぶつかっていく。ときには独走したままトライするようなスタンドプレーも魅力的に映ります。ただ、いつもうまくいくとは限りません。ボールを抱え込み、ゴールに向けて拙《つたな》い走りをしていては、すぐに潰《つぶ》されてしまいます。

追い込まれた状況にあっては、いさぎよく自分の「弱さ」を認め、もっとパワーを発揮できそうなポジションにいる仲間に、ボールをパスしていく。それぞれの場面が思いもかけないメンバーの「強み」を引き出し、不利な場面から脱却していく。

ちょっと厳しい話ですが、「まだ初心者なのだから、学びの途上にあるのだから、もうすこしうまくなるのを待っていよう！」との配慮だけでは、ゲームは作れません。ラグビーの魅力の一つは、瞬間、瞬間でのボールを仲間に委ねるときの潔さとか、不利な場面をみんなで何とか凌《しの》いでいく、そんな「しなやかさ」にあるのだと思います。

わたしたちは、これを「熱意の連鎖」と呼んでいます。実は、作詞家の阿久悠さんの受け売りです。受け売りにもかかわらず、阿久さんがインタビューの中で「興奮の連鎖」といっていたのを、いつのまにかわたしは「熱意の連鎖」と思い込んでいたというおまけつきです。

阿久さんは「よいエンターテインメントを作るには、興奮の連鎖が必要だ」といっていました(『朝日新聞』二〇〇四年九月二四日)。

作詞家が「すごい詞」を書き、そこに作曲家を始めとするプロが集まって「よし、やろう」と取り組む。そして、その曲を希代のボーカリストが丁寧に歌い上げ、上手な販売戦略の下で聞き手に届ける。あとは運も味方に……。そういう連鎖が生まれたとき、初めていい作品、ヒット作になっていくのだそうです。

逆に情熱のない人や素人がその連鎖の中に一人でも入っていたらどうか。単なるマイナス1ではなく、台無しになってしまうのです。このことは、ラグビーでのパスワーク、そしてロボット作りなどにも、よく当てはまるのです。

「このロボットはやばいかも……」と思える瞬間

わたしたちにも「このロボットはやばいかも……」という、会心のロボットが生まれる瞬間があります。〈ゴミ箱ロボット〉、〈トウフ〉、〈ペラット〉、そして〈アイ・ボーンズ〉などがそれにあたります。あとから振り返ってみると、こうした「熱意の連鎖」が途切れずに、つながっていたのです。

みんなの雑談の中で、「こんなコンセプトはどうだろう!」とちょっと盛り上がっていると、初めは冗談のつもりが、どんどんアイディアが膨《ふく》らんできて、具体的な姿が見えてくる。「えっ、これってやばいかも! じゃ、わたしデザイン担当しますね」と誰かがいい、そのデザイン案を目にして、「おっ、なかなかいいじゃないですか! じゃ、ここの機構を考えてみます」、「それなら、プログラミングは、自分たちに任せて!」といいつつ、二~三日後にはちゃんとプロトタイプが動き始めている。あとは、ワイワイいいつつ、プレゼン用のポスターをデザインしたり、センスのいいプロモーションビデオを作ってみたり……。ここでポイントとなるのは、「この部分ならトップパワーで走れるのではないか」と、自分のもっとも貢献できそうなところをちゃんと押さえていること。すべてのメンバーが同じことをするわけでも、同じような強みをもっているわけでもないのです。

それにプロジェクトを成功させるには、スピード感や勢いも大切だと思うのです。せっかくのアイディアも、だらだらとやっていては、みんなの熱意も冷めて、ネタとしての鮮度が落ちてしまうのです。

わたしたちは、これを〈3-3-3の法則〉と呼んできました。たとえば「サーボモータを回したいなら、三日でマスターしよう!」ということ。三日で出来なければ、三週間かかっても、三年かかっても、モータを回すことは出来ない。なかなか厳しい法則ですね。でも、誰かに助けてもらえば、きっと三日以内で回せるはず。要は「このモータを何としても回してみたい！」という熱意だと思うのです。

このことは、さまざまな場面に当てはまります。論文をまとめるなら、三カ月で決着させよう。それを外すと、三年かかっても、三〇年かかっても……なのではないか。まぁ、自分の首を絞めそうなので、この辺にしておきたいと思います。

話をもとに戻しましょう。それでは、この「熱意の連鎖」をどこに向けるのか。すなわち、このロボットは、いったい誰のために作るのか？　先にも述べたように「自分たちが作りたいから作る！」というのではなく、「これからの社会にあってもいいんじゃないかなぁ」、「これだったら、いろんな人に喜んでもらえるはず！」、「このコンセプトなら、世の中をすこしは変えられる！」というわけで、ほんの少し社会も意識してみる。そういったスケール感も必要だと思います。

こうした「大義」があると、心を一つにして取り組めるのです。ゴールを共有しあい、それぞれのスキルや力量で貢献しあう。この一体感も、「文化的な実践に参加する」ことの魅力の一つだと思うのです。

✿ロボットを作るために、なにかいい本はないでしょうか？

春になって、新たなシーズンを迎える頃、「かけがえのない」メンバーの多くは、社会へと巣立っていき、入れ替わるようにして、新たな学生たちがやってきます。今年は、どんなことをしようか、とてもワクワクする季節です。それは学生たちも、同じなのだろうと思います。


「とりあえずロボットを作ってみたいのですが、なにかいい本はないでしょうか？」

「おっ、なかなかやる気満々だなぁ……」

「でも、そんな便利な本って、あったかなぁ……」

「うー、どうだろう。本を読むことは決して悪いことではないけれど……」


この春から、わたしたちのラボに入ってきたばかり、なにから手をつけていいのかわからないという学生もいます。「なにかいい本はないものか……」とは、学生の素直な気持ちからなのでしょう。ただ、いつものことで、その背後にある企ても、ちょっとだけ垣間見えてしまうのです。

「まぁ、他の人に聞くというのも、なにかと厄介だし……」
「とりあえずは、なにか試しに作ってみたい！」
「そのために、参考にできる手ごろな本はないものか……」

このように考えることは一般的なもので、悪いことではありません。大学でも、一般社会でも、目の前の社会的な課題をどう解決していけばいいか。そのための方法論や理論を探し求める。まずは書物から学ぼうとする。そこに書かれた理論に従い、最適な設計を行い、最適な部品を作って組み合わせ、目の前の課題を効率的に解決していく……。

これは合理的思考とか、「エンジニアリング」と呼ばれるもので、大学、特に工学部での教育の中心となる考え方でしょう。

ただ、見方によれば、それはレシピ通りに料理を作るようなものです。そこに書かれた通りに、選りすぐりの食材を集め、手順にそって調理をする。そうすれば、いつもの味は保証されることでしょう。しかし、それはありきたりのもので、どこか予定調和的なのです。すなわち、「あっ、こういうロボットを作ってみたわけね……」で、終わってしまうのです。

一方で、冷蔵庫の中の「あり合わせ」を生かして、なんとか調理をしてみるという方法もあります。その場、その場で、残りの食材を生かしてみる。「あらっ、タマゴを切らしていた……」と、そんな制約や偶然までも味方につける。いつもおいしいものが生まれるとは限りませんが、時には、とびきり美味しい味に出会うこともあるのです。「へ〜、このロボットはやばいかも!」というわけです。

このような「あり合わせ、よせ集め」で、その場をなんとか凌いでいく方法は、第2章でも紹介した「ブリコラージュ」、あるいは「野生の思考」と呼ばれるものです。オリジナリティあふれる研究というのは、あまり意識しなくとも、こうした方法論に従っていることが多いのです。

もう一つ、「自分でなんとか……」に、あまり拘ってほしくない理由もあります。先ほどの「熱意の連鎖」の話ともかぶるのですが、世の中に残る、ユニークなロボットを生みだすには、「コンセプト」、「デザイン」、「実装力」、それと「運」が揃う必要がありそうです。これは「足し算」ではなく「掛け算」なのです。この中の一つでも欠けると、とても残念なロボットになってしまいます。

植物に必要な栄養素についての「ドベネックの桶《おけ》」という話をご存じでしょうか。すでに理科や生物の授業で耳にしているかもしれません。植物の生長に必要な栄養素を桶の板に見立てているのですが、どこかの板が短いと、そこから水が垂れ落ちてしまい、ちっとも溜まらない。同様に、必要な栄養素のうち、なにか一つでも足りていないと、その影響に引っ張られ、健全な植物の生長がままならないのです。

ロボットを生みだす際にも、「ひとりでできるもん！」といいつつ、「自分でなんとか……」に拘ってしまうと、なかなかいいロボットにたどり着かない。「実装力が弱くて、なかなか動き出さない」、「デザインがちょっと残念だよなぁ」、「こんなコンセプト、どこかにあったような……」と、すべてのセンスが揃うことは少なく、どこか残念なロボットになってしまうのです。

✿ヤスリ掛けから始めてみよう！

「そんなことといわれても、どこから手をつけていいのか……」と思うのも、無理はありません。そもそも「あり合わせ」に使う、モノ、アイディアの断片、経験の蓄積も、まだ一緒に手伝ってくれる人もいないのですから。

そんなときには、ロボットの外装の「ヤスリ掛け」などを手伝ってみるのはいかがでしょう。「それはちょっと泥臭いから……」と思ってしまう前に、ぜひチャレンジしてみてください。なかなか奥深い体験が出来ると思います。

「積層痕《せきそうこん》」というのは、3Dプリンタなどでロボットの外装を作ろうとするときに生まれる「層」の痕跡のことです。ABSなどの樹脂(=フィラメント)を高温で温め、溶けた樹脂を〇・四㎜程度のノズルから押し出し、3Dモデルに従って、少しずつ積層していくのですが、このとき、どうしても積層した痕が残ってしまいます。これをヤスって、すべすべにする必要があります。そうしないと塗装《とそう》後に、小さなギザギザが残ってしまうのです。

そのためにパテを薄く塗り、乾かしてはヤスリをかけることを繰り返します。ヤスリにはどんな種類があるのか、何番のものを使ったらいいのかなど、いいだしたらキリがありません。やってみなければわからないことも多いのです。

しかし、ヤスリ掛けを手伝うことのメリットはこれだけではありません。しばらく部屋の中でヤスリ掛けの作業を続けてみると、他の学生たちの作業も見えてきます。くわえて、いろいろな言葉が飛び込んできます。サポート材を懸命に剝《は》がしていたり、サーフェイサーのことを「サフ」と呼んでいたり。積層痕を目立たないようにするには、どんな角度でプリントしたらいいかを議論していたり……。

　どんな角度でプリントしたら、積層痕を目立たないものにして、かつサポート材を上手に剝がせるのか。このように「積層痕」一つにしても、設計のコツや素材の費用、外装の仕上がりなど、ロボット作りをするにあたって、いろんなところに絡んでいることがわかります。しばらく、そうした場に身を置いてみると、誰がどんなことを知っているのか、エキスパートは誰なのか、学生たちの役割や得意分野も見えてくるはずです。いまヤスリを掛けているのは、どんな部品なのか、まだわからないけれど、自分も少しは貢献できているはず……。

　そんな貢献を重ねる中で、メンバーの一人として認知され、いろいろと教えてもらいやすくなります。「知らないことは、知っている人に聞く！」、そのための敷居も低くなり、いろんな情報や道具、ノウハウ、アイディアの断片などにアクセスしやすくなるのです。

　それと、道具の働きとそれを誰がどう使いこなしているかもより深く見えてくるはずです。たとえば、3Dプリンタ、レーザー加工機、CADソフト、フィラメントという素材……。これらの道具があっても、それを使いこなすメンバーが不在では、肝心《かんじん》の道具は生かされません。反対も然りで、優秀なメンバーが揃っていても、道具や機材が十分でないと、その技術を生かすことが出来ない。もっとも肝心のアイディアがなければ、メンバーも道具も生かせないのです。

ちょっと難しい表現をするならば、モノも、道具も、メンバーも、アイディアも、一つひとつは相互につながっており、その関係の中でそれぞれの「役割」や「意味」が生まれるのです。たとえば、3Dプリンタという高価な「装置」の意味や価値は、そのものにあるのではなく、どんなメンバーにより使用されるのか、どんなアイディアの下で利用されるのか。そういう文脈、つまり関係性の中で明らかになるのです。

では、ラボの中で新たなロボットを生みだすための「知」はどこにあるのか。それは「書物」の中にあるというより、多様な道具やメンバー、そしてアイディアの断片、そういう関係の中に分かちもたれているといえそうです。これらを総合したものを、先に「組織知」と呼んだわけです。

大学の授業や書物の中からは、そういう「組織知」の存在を体感するのは難しいと思います。すこし回り道かもしれませんが、ラボやサークルなどの「文化的な実践」に参加し、その参加の程度を深めていく中で学んでいくものだと思うのです。

✿「獲得メタファ」と「参加メタファ」

学ぶとは、どういうことか。そもそも「学びとは、文化的な実践への参加」であるとは、どういうことか。これを読んでいるみなさんには、まだ腑《ふ》に落ちていないかもしれません。「なにかいい本はないですか？」との問いは、いろいろな知識を個人の中に抱え込もうとするところに特徴があります。すべての知識や技術を獲得・所有してから、ロボットを作り始めようとする。その意味で、学びとは、個人の中に知識を獲得し、所有すること。かつて、サファード(Sfard, 1998)により、「獲得メタファ」として整理されたものです。

思い返せば、生まれてからずっと、わたしたちは養育者の世話を受けてきました。適度なタイミングで、ミルクを運んでもらい、いまでも食卓につけば、そこに料理を並べてくれる。それを口の中に入れるだけでよかったのです。「これキライ！」、「えっ、今日も、これなの？」と、ときどき文句をいっていた。それが当たり前だと思っていた。だって自分の親もしくは養育者なのだから……。

それと同じで、小学校や大学の教室でも、机に座っていれば、教師が首尾よく体系だった知識を授けてくれる。それを自分の「頭の中」に獲得していけばいい。時には「声が聞こえないんだけど……」と文句を言ってみたり。だって、授業料を払っているのだから……。研究室に入ってくるのも、その延長なのかもしれません。「この研究室は、自分にどんな知識を授けてくれるのか」と、じっと待っている。だんだんじれったくなって、「なにかいい本はないですか」と口にしてみる。なかなか「獲得メタファ」的な習慣は抜けきれないようです。だって、二〇年近く続けてきた習慣なのです。そうやすやすと切り替えられるはずもありません。

一方で、「とりあえず、ヤスリ掛けでもどうか」、「ちょっと手伝ってみてはどうか」というのは、「獲得メタファ」に対して「参加メタファ」として整理されるものです。もちろん、学びには、どちらの側面も必要なのですが、ラボの中で新たなロボットを生みだしたり、日々、新たな研究活動を進めていく上では、この後者の側面の比重が大きいのです。

ここでの知識やその学びとは、他者や道具、アイディアの断片などのあり合わせを上手に生かし、一緒に生みだしていくコツのようなもの。「参加」は、その一つの側面にすぎません。大切なのは、人や行為、さらに世界を関係論的に捉え直してみようということです。たとえば、新たなロボットを生みだせたのは、その知識を自分のものにしたからではない。むしろ、他者とのかかわり、道具、アイディアの断片をリソースとして、より大きな関係の中で生みだせるようになったから。そんな見方をしてみようということです。

わたしたちの行為や学びも、こうした関係の網の中に埋め込まれたものであり、共同体の中に参加を深めていくとは、こうした関係の網の中での「行為者＝アクター」となる、しかも「かけがえのない存在」になるということなのです。

これは、わたしたちだけではなく、「ロボット」も同じだろうと思うのです。その役割や意味は、そのものに固有に存在するというより、社会の関係の網の中に埋め込まれ、そこから立ち現れるものといえます。「ロボット」や「人工物」も、社会との接点の中で、日々、学びを深め、進化しているわけです。

✿手のひらサイズのロボットを作れないか……

すこし抽象的な話題が続いてしまいました。本章を終えるにあたり、社会とのかかわりの中で、いろいろと意味や役割が変化していった、あるプロジェクトについて紹介したいと思います。

「手のひらにのるくらいの、ちっちゃなロボットは作れないものか……」

「胸ポケットの中に入れて、一緒に散歩するような……」

「でも、そんな精密なロボットって、うちで作れる？」

誰しも一度は思い描くことかもしれません。ソニーの〈aibo〉や〈poiq〉などもその一つでしょう。コンパクトなサイズに、電子部品や機構部品をたくさん詰め込んだモノ作りは、日本のお家芸でもあるのです。

ただ、大学の研究室では、なかなか真似は出来ません。タマゴくらいのサイズに、マイコン基板、モータなどの機構部品、カメラ、スピーカ、それとバッテリーをどう詰め込むのか……。なんとか設計までは出来ても、精密な金型を使うようなモノ作りまでは出来ません。

半ばあきらめていた頃に、「あれっ、内部に部品を詰め込むんじゃなくて、まわりからの働きで動かしてもらえばいいのでは?」とのアイディアが浮かんできたのです。自分で動けないなら、まわりに動かしてもらえばいい。これは〈ゴミ箱ロボット〉でも利用した「裏ワザ」でした。

手のひらの上にあって、自らでは動けないなら、その手で動かしてもらえばいい。その動きに合わせて、わずかに「目」が動くならば、生き物のようでかわいいのでは……。胸ポケットからキョロキョロと顔を出すようにしたら、自らでは歩けなくても、一緒に移動も出来るはず……。

そんなまったくの他力もいいけれど、もっとまわりの力を利用できないものか。たとえば、テーブルに置かれたとき、その下から磁力を介して動かしてもらうのはどうか。大きなモータやバッテリーも、テーブルの下にそっと隠せるはずなのです。

「自分でなんとか！」という拘《こだわ》りを捨ててみた。自分たちの実装技術から考えても、あきらめもつく。ならば、「その解釈も含めて、まわりに委ねてしまおう！」というわけです。手のひらの上にあっては、愛でるように揺らしてもらう。胸ポケットのところでじっとしているだけで、一緒にどこかに連れて行ってもらえる。テーブルの上に置かれるなら、その下から磁力を介して動かしてもらう。どのような場や環境に置かれるのか、それによって機能や役割、意味を変えるというのもおもしろそうです。

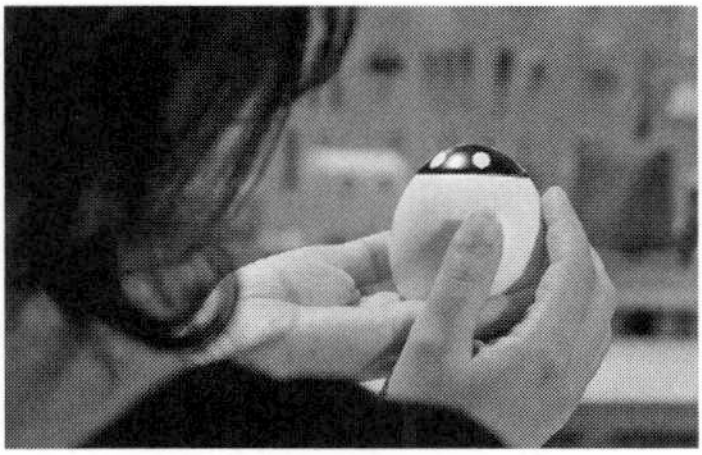

図3・8　手のひらサイズのクリーチャ〈NAMIDA^0〉

そんな議論をしばらく続けていたら、身も心も軽くなってきました。実際に、〈NAMIDA^0〉と呼ばれるクリーチャの中身は、その底に超小型のネオジム磁石が二つあるだけで、すかすか。目も動くものではなく、目のようなシールが貼られているだけです（図3・8）。

「ね〜ね〜、なんかきょうの天気は、すごくわるそうだね」

「そうだね。きょうは一日中、あめっぽいね」

「さくらちゃん、きょう、でかける予定だったけど、だいじょうぶかな?」

「うん、どうだろう……」

図3・9　三つのクリーチャたちでおしゃべりする〈NAMIDA⁰ Home〉

テーブル上に置かれた〈NAMIDA⁰〉たちは、次世代のスマートスピーカという意味を込めて〈NAMIDA⁰ Home〉と呼ばれています(図3・9)。三つの〈NAMIDA⁰〉たちは、今日のニュースをネタにして、おしゃべりをするのです。シールが貼られただけの目にもかかわらず、お互いに視線を向けあっているように見えるから不思議なものです。また、それ単体では無表情にもかかわらず、まわりの〈NAMIDA⁰〉に姿勢を向けると、それに応えて、相手も身体を向け返してくれる。そういったかかわりの中から表情や気持ちも立ち現れてくるのです。

つまり、〈NAMIDA⁰〉たちの動きは、テーブル上の「磁場」の助けを借りており、同時に、そこに表情を生みだすために、まわりの〈NAMIDA⁰〉たちの力を借りているのです。

この〈NAMIDA⁰〉たちをクルマのなかのダッシュボード上で動かしてはどうか。そんな話も舞い込んできました。ドライバーをサポートするエージェントとして利用できないかというわけです。手のひらにのせて遊ぶはずが、いろいろと夢がひろがってきました。

ダッシュボードの上であれば、いろいろな構成部品をその下に隠すことが出来、またクルマの中の多様なセンサー類とつながって、道路状況に関する情報などもリアルタイムに取り込めます。初心者のドライバーをサポートしたり、ワイワイと雑談しながら、みんなでドライブを楽しむような感じも生みだせそうです。

こうして実装された〈NAMIDA⁰〉たちは、カーナビに代わるもので、ドライビングエージェント(driving agent)と呼ばれています(図３・10)。いよいよ、わたしたちの手のひらを離れて、次第に社会との接点も生まれてきました。

同じ頃に、「自動運転システム」と一緒に〈NAMIDA⁰〉たちを動かしてはどうかとの話も舞い込んできました(図３・11)。自動運転モードにあっては退屈になり、ドライバーであることを忘れてしまう。ならば、「ドライバーに寄り添ってくれるパートナーとなることは出来ないだろうか」というわけです。ただ、これには課題もありました。

図3・10　ドライビングエージェント〈NAMIDA^0〉

図3・11　自動運転システムのためのソーシャルインタフェース〈NAMIDA〉

ドライバーという「運転主体」、それに自動運転システムという「運転主体」、この二つの混在もわずらわしいのに、新たに主体性を備えた〈NAMIDA^0〉たちも参加するのです。なんだか、ごちゃごちゃしてきました。

「自動運転システムって、そもそもロボットそのものなんじゃないか!」

「センサーからの情報で自律的に判断し、ハンドルやブレーキを操作するわけだし……」

「そんな得体の知れないモノに、自分の大切な命を預けちゃっていいんだろうか?」

「なんだかドキドキする。なにを考えているかわかんないし!」

「いっそのこと〈ソーシャルなロボット〉にしてしまうのもアリかも……」

「ときどき、弱音を吐《は》くような……」

こうした議論を経て、「自動運転システムをソーシャルなロボットにしてしまおう！」という〈NAMIDA〉と呼んでいるプロジェクトが生まれてきました。ダッシュボードに、三つの〈NAMIDA〉たちが埋め込まれ、キョロキョロしながら、クルマを主体的に運転しようというのです。

自動運転システムが急に減速するなら、搭乗者は「どっ、どうした？」と戸惑ってしまうことでしょう。でも、〈NAMIDA〉たちが赤信号や歩行者に目をやりながら減速するなら、「そうか、赤信号に気づいて減速してたのかぁ」と納得できるのです。

あるいは〈NAMIDA〉たちが自動運転システムの状態や気持ちを代弁するのはどうでしょう。いつも強がるだけでなく、「こんな混雑したところは苦手だなぁ……」、「雪道はちょっと苦手なんだけど……」と、ときには弱音を吐いてもいいと思うのです。彼らの気持ちをダイレクトに察することが出来るなら、運転の交代もスムーズに行えそうです。

ただ、現実はそんなに甘くはありません。「ときどき、弱音を吐くような自動運転システムはどうか……」などと口にした頃から、せっかく自動車メーカーと組んだプロジェクトの雲行きも怪しくなってきました。自動車メーカーは、お客さんの安全を預かり、信頼を売る商売をしているので、これはもっともなことです。「弱音を吐くようなクルマなんて……」と、メーカーの技術者たちは、このプロジェクトから次第に離れていったのです。

ちょっと残念なことでした。でも、ここであきらめるわけにはいきません。ピンチはチャンスでもあるのです。

「そうか。やはりクルマが弱音を吐いてちゃ、ダメなのか……」

「まぁ、そうだよね……」

「クルマが無理なら、小さなビークルくらいのを、自分たちで作れないだろうか?」

「公道を走るようなものは無理だけれど……」

「屋内を走る超小型のビークルならなんとかなるんじゃないか……」

「モータとバッテリーだから、なんちゃってEV車だね!」

「クラクションの代わりに、「もこー!」でいいかも……」

「ボディは柔らか素材で。ぶつかっても相手を傷つけない!」

こうして、子どもが一人で乗れる、パーソナルビークルが生まれたのです。その姿は、あたかも猫を載せた〈お掃除ロボット〉。その名も〈ルンル〉、自動運転機能を備えた「ロボットのようなクルマ、クルマのようなロボット」です(図3・12)。目のところに〈NAMIDA〉たちがキョロキョロしており、ビークルの気持ち(＝内部状態)を伝えてくれます。

自動運転システムというのは、とても便利なものですが、ちょっと油断すると搭乗者は「たんなる荷物」として扱われてしまいます。その利便性の陰で、わたしたちの主体性をも奪ってしまうのです。もっと、わたしたちの主体性や意志などを反映させる方法はないものでしょうか。

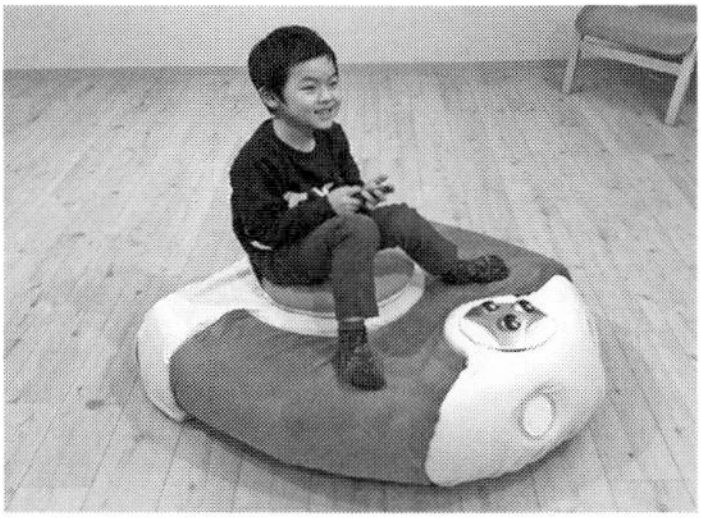

図3・12 ロボットのようなクルマ，クルマのようなロボット〈ルンル〉

そこでシートに腰を下ろす際に、その重心移動で搭乗者の気持ちを反映出来るようにしました。わたしたちの主体性を上手に絡ませることで、いわゆる「人馬一体」のような感覚を生みだすことが出来ます。それに、肢体不自由児などの意志を自動運転の機能でサポートしながら、子どもの主体性や能動性を引き出すことも出来そうです。

この章の後半では、わたしたちの〈NAMIDA〉に関係したプロジェクトの変遷を駆け足で見てきました。「手のひらにのるくらいの、ちっちゃなロボットを作れないものか……」という、当初のもくろみからはどんどん離れ、いつの間にか、わたしたちのラボの中でも、もっとも大きなサイズのロボットになっていました。

これら〈NAMIDA〉プロジェクトの変遷も、必ずしも計画的なものだったのではなく、さまざまな制約や「あり合わせ」を味方につけながらの「参加」の結果だったのです。

わたしたちの社会の中に、自ら独自のあり方を生かして参加し、そのような参加を深めながら、自らの強みや立ち位置（＝アイデンティティ）を確立し、それを社会の中で、互いに受け入れあい、称えあう……。このことは、わたしたちに限らず、新たな「人工物」や「ロボット」にも当てはまるようです。それはアイディアや研究活動における「進化」、そして「学び」の一つの姿だと思うのです。

第4章 「ひとりでできるもん！」って、ホントなの？

レジリエントな生き方を〈弱いロボット〉たちに学ぶ

✿ドキドキするなぁ……

つい先日、わたしの母校の中学校で講演をする機会がありました。企画してくれたのは、中学、高校時代の同級生たちです。かつてNHKで放送されたテレビ番組、『課外授業 ようこそ先輩！』のようなノリを期待していたようです。（この番組は各界で活躍する著名人が、小・中学校などの出身校に赴き、自らの専門分野や体験をもとに独自の授業を繰り広げ、後輩の子どもたちと一緒に考え、悩み、一緒に学ぶスタイルのヒューマンドキュメンタリーです。）

同じようなノリは難しくとも、せっかくの機会ですから、「ちょっとかっこいい話でも……」と思い、中学生の頃を振り返ってみました。しかし、後輩たちに自慢できそうなことって、なかなか思い浮かばないものです。もう記憶のはるか彼方にあってなのか、それとも忘れようとしていたのか、かすかに覚えているのは、ここには書けないような情けないことばかり……。

不思議なことに、当時の自分の姿というのは、ぼんやりとしたイメージしかありません。人前でなにかを発表するのでも、服装や髪形を選ぶのでも、体育などの苦手な授業に参加するのでも、どこかオドオド、モジモジ……。休み時間も、どこに居ればいいのか、誰と話をしたらいいのか、どんな話をすればいいのか。いつも、ぎこちない感じがありました。早生まれの影響もあったと思うのです。小学生の頃から、同級生よりひと回り体が小さく、運動なども苦手。「自分は、他の人より劣っているんだろうなぁ、きっと小心者なんだろうなぁ……」と、ちょっとした劣等感を抱いていたのです。

いよいよ講演の日がやって来ました。いざ壇上に進んでみると、目の前には大勢の後輩たちや先生方の顔が並んでおり、「どんな人なのだろうか、どんな話を始めるのだろう」と固《かた》唾《ず》をのんで見守っています。この雰囲気の中、まずはどのような言葉をかけたらいいのか。最初の一声というのは、なかなかドキドキするものです。

「こんにちは！」と挨拶をしようにも、その小さな声は意外にも届かずに、「しーん……」と静まり返ってしまったら……などと、心配の種は尽きません。でも、せっかくの晴れ舞台、いつまでもモジモジしているわけにもいきません。そこで「なんだか、ドキドキするなぁ……」と、いまの気持ちをそのまま言葉にしてみました。

「わたしの中学生の頃も、こんな風にいつもオドオド、モジモジしていたんです……」と、包み隠さず話してみたのです。ようやく、その場の緊張が緩んでいくのを感じました。

立つときのドキドキした感じは、だいぶ和らいでいます。教員ということもあって、もう慣れてしまったということもあるでしょう。それと、どこか「ふっきれた！」との思いもあるのです。

✲「左目から見た自画像」との出会い

まぁ、こんな風にドキドキしたのは久しぶりのことです。この歳になってみると、人前に

では、あの頃の「ぎこちなさ」は、どこから生まれていたものか。ずいぶんと時間が経った頃に、生態心理学という研究分野に出会い、そこでエルンスト・マッハの描いた「左目から見た自画像」と呼ばれる不思議な絵を目にしたのです。

自画像とはどのようなものか、どのようにして描かれるのか。日頃は、あまり意識しないものでしょう。自らの「視点」から、自分の姿を描いてみる……。マッハは、そのことを忠実に実行してみたのです。

その前に、わたしたち人の姿とは、そもそもどのようなものか。その典型はレオナルド・ダ・ビンチによって一四九〇年頃に描かれた、「ウィトルウィウス的人体図」のようなものでしょう(図4・1)。理想的なプロポーションであり、どこにも欠けたところはありません。

一方のマッハによって描かれた「左目から見た自画像」(図4・2)は、ダ・ビンチの描いた

人体図とは趣が大きく違っています。

「えっ、なんだこれは？」
「どうして、これが自画像なの？」
「肝心の顔がないじゃないか！」
「もしや、この歪んだところって、顔の一部じゃないか……」

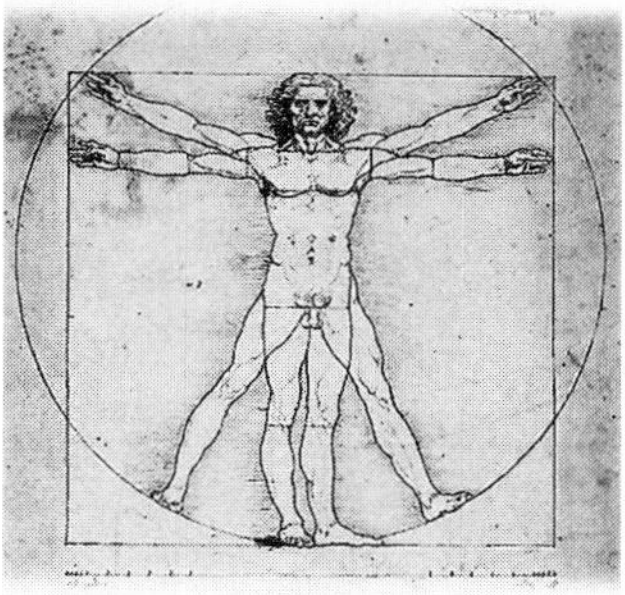

図 4·1　レオナルド・ダ・ビンチによって描かれた「ウィトルウィウス的人体図」

どうして、これが「自画像」なのか。不思議に思われる方は、自らの姿を描いてみてはいかがでしょう。「左目」からは、自分の姿はどのように見えるのか……。

いま、わたしはパソコンに向かって、この文章をひねり出しています。目の前には、大きなディスプレーがあって、その向こうには窓とカーテンが見えている。手元の机の上には、キーボードがあって、

図 4・2　エルンスト・マッハの描いた「左目から見た自画像」(エルンスト・マッハ『感覚の分析』法政大学出版局，1971)

そのキーに指を押し当てている。わたしの胴体から二つの腕がにょっと外に突き出ている……。そんな絵が描けるかもしれません。

みなさんであれば、いま本を机の上に置いて、それを両手で押さえながら読んでいるのでしょうか。その姿を丁寧に描いてみるのです。まず本に触れている手や目の前の机は問題なく見えるはずです。少し見下ろせば、机の下には両足が隠れており、足腰や胴体のところは、なんとか描けることでしょう。

ところが、あるところでペンが止まってしまうことでしょう。肝心の自分の顔は、どう描いたらいいのか。それでも描けるところまで描いてみましょう。自分の「左目」からは、なにが見えるのか。右下には、鼻の頭の一部が見えます。それとメガネの縁も見えます。額の方に目をやるなら、人によっては眉の一部も見えているかもしれません。

すこしずつ、マッハの描いた「自画像」の雰囲気に近づいてきたのではないでしょうか。

とても「自分の姿」とは思えない不思議な絵です。ただ、改めて考えれば、これはいつも見ている自分の姿でもあるのです。生まれてから、ずっと見てきたもの。慣れてしまって、ほとんど意識してこなかった。これを自分の姿とは考えていなかったのかもしれません。

一度、このような〈顔を欠いたような身体〉が動きまわり、ふつうに生活している様子を想像してみると、なかなかおもしろいものです。〈身体〉の両側から腕が出ており、片方の手でノートを押さえ、もう片方の手で鉛筆を持ち、ノートにメモを残そうとする。ご飯を食べるときも、二つの腕の動きを駆使して、お椀と箸を持ち、この奇妙な顔の中にご飯やおかずをつぎつぎと放り込んでいるわけです。

✿自分の顔なのに「自らの視点」からは見えない！

ダ・ビンチの人体図、そしてマッハの描いた自画像。これらの絵の違いはどこにあるのか。少し整理してみると、前者の「人体図」は、わたしたちが他の人の身体を眺めたときに見ているものです。五体満足であり、どこにも欠けたところはない。これは「観察者から見た身体イメージ」といえます。

一方のマッハの描いた「左目から見た自画像」は、わたしたちの身体を「自らの視点」から眺めたときのイメージ、つまり「内なる視点から見た身体イメージ」なのです。

ここで興味深いのは、「自分の顔なのに、自分には見えていない」という事実です。くわえて、自分には見えていない「自分の顔」は、他の人からはよく見えるのです。これは反対の立場でも、同じことでしょう。相手の身体や顔は、わたしからはちゃんと見えている。でも、その相手はどうなのか。自分の顔にもかかわらず、自分では見ることが出来ないのです。

本章の冒頭で、わたしの中学時代の話をしました。あの当時、自分はどんな様子だったのか。こうして距離を置いて、つまり観察者の立場から、当時の自分の姿を思い浮かべても、ぼんやりとしかイメージできません。自らの内なる視点からは、自分の姿はほとんど見えていなかったのです。


「そうか、わたしのコンプレックスの正体は、これだったのか……」

「えっ、どういうこと?」

「他の人の姿というのは、どこか自信にあふれ、完璧に見える!」

「でも、自分の姿は、ぼんやりしており、どこか不完全!」

「なるほど、そういうことか……」

これまでなんとなく抱いていた劣等感はこんな些細《ささい》なところから生まれていたようです。たぶん、同級生たちも同じだろうと思うのです。すこし強がるような素振りに見えたのは、もしかしたら自分たちの不完全さを隠そうとしていたのかもしれません。

あの中学生の頃のぎこちなさやオドオドした感じは、自分だけではなく、誰もが感じていたもの、もっと普遍性を伴うものだったようです。

❁〈顔を欠いたような身体〉でも不自由を感じないのはなぜか？

もう一つ不思議に思うのは、「自分の顔なのに、自分からは見えない」、つまり〈顔を欠いたような身体〉にもかかわらず、特に不自由を感じないのはどうしてか。もう慣れてしまい、当たり前なものとして受け入れていただけなのでしょうか。

よくよく考えてみると、自分には見えていないけれど、自分の顔のところに穏やかな表情があるものと想定しながら、他の人と接しているようです。このことを可能としているのは、目の前の人の表情に、自分の表情までも映し込まれているからなのではないか。そんな風に思うのです。

ちょっとわかりにくい話かもしれません。ここで一息つきながら、窓の外の景色をしばらく眺めてみてはいかがでしょう。今度は、そのまま椅子から立ち上がって、窓の外の様子を眺めてみる。これを繰り返してみるとおもしろいことに気づきます。その外の「見え」の変化によって、いま自分は立った状態にあるのか、座った状態にあるのかがわかるのです。

さらには、椅子に腰を下ろしたまま、顔を上下に、あるいは左右に動かしてみましょう。じっとしていたときには、外の風景だけが見えているだけでした。しかし、自分の動きに伴う「外界の見えの変化」から、自分はいま何をしているのか、どこに目を向けようとしているのか、そんな「自分自身の姿」がそこに立ち現れてくるのです。この自らの動きに伴って見えてくる「自己イメージ」は、「生態学的な自己」とも呼ばれています。

先ほどの中学校での講演のところでも、同じことがいえそうです。在校生からは、わたしの姿や表情はよく見える。一方で、壇上から会場の様子を眺めてみると、目の前には大勢の顔があるだけ……。しかし、そこには自分の「顔」はありません。

それでも、ポツリ、ポツリと話を進める中で、みんなの表情が和らいできます。それを手がかりに、いま自分はどんな表情をしているのか、なんとなくイメージできます。なぜなら、自らの発話や表情に合わせた、目の前に並んだ笑顔の中に、自分の表情も映し込まれているからです。

「自分の顔なのに、自分からは見えない」にもかかわらず、自らの行為に伴う「見え」の変化や相手の表情変化を手がかりに、いまの自分の状態を探る。そんな風に、まわりにある手がかりを無意識に利用しながら、自らの身体にまつわる「制約」をなんとか克服しているようなのです。

オドオド、モジモジ……、自分の所在がなんだか定まらない。あるいは、自分って、何者なのか、よくわからない。なんだか、ぼんやりしている。そんな風に感じているなら、とりあえず一歩前に踏み出してみてはいかがでしょう。その動きに合わせ、わずかに視野もひろがってきます。同時に、自分自身、そして周囲を観察できるようになって、また次の一歩を踏み出したくなるのです。

なぜドキドキするの？

人前で話をしようとするとき、なぜドキドキするのか？　肝心《かんじん》なところで、いい誤ったらどうしよう、うまく言葉が出ずに固まってしまったら……。そんな心配にくわえて、「自分の発話を繰り出そうとするのに、その意味や価値を自らの中で完結できない」という事情もありそうです。

これはどういうことでしょう。みなさんの中にも、大勢の前で「こんにちは！」と挨拶したにもかかわらず、その場が「しーん……」と静まり返ってしまった。あるいは、知り合いが近づくのにあわせ、「おはよう！」と声をかけたのに、相手は気づかずに通り過ぎてしまい、なんだかバツの悪い思いをした。そんな経験もあることでしょう。

他の人たちの会話のやり取りを外から眺めると、話し手から聞き手へと「明確な意味を担った言葉」をキャッチボールしているかのようです。ところが、話し手の「内なる視点」から見るなら、また違った風景が見えてきます。自分の繰り出そうとする言葉なのに、その意味を自分の中では完結できないようなのです。

そんなこともあって、「おっ、おはよう！」は、ただ言葉を繰り出すだけでなく、「この声は相手にちゃんと届くのか」、「相手は聞き手となってくれるのか」、「自らの発話は挨拶として意味を成すものか」を同時に探っているわけです。

発話の意味だけでなく、自分の役割についても当てはまります。いま「話し手」なのかどうかは、自分の中だけでは決められません。言葉を発しているから「話し手」なのではなく、誰かが「聞き手」となってくれるから「話し手」となれるのです。そして、「おはよう」が挨拶として意味を成すのは、それに応える相手がおり、一緒に意味を支えてくれているからなのです。

ティッシュを手渡そうとする場面と同様に、極めて個人的なものと思われる「言葉を繰り出す」、「挨拶をする」という行為も、見方を変えれば、「相手の協力なしには成り立たない行為」、「相手と一緒に作りあげている共同行為」といえそうです。

講演の冒頭で、なぜドキドキしてしまったのか。まだ馴染みのない人たちと、どのようにして共同行為を成り立たせるのか。そもそも、そういう相手となってくれるのか……。なにげない行為にもかかわらず、小さな「賭け」を伴いながら、それを探ろうとしていたわけです。そのためには、「ドキドキするなぁ……」などといいつつ、そっと言葉を繰り出してみる必要があったのです。

「ひとりでできるもん！」って、ホントなの？

「わたしたちの身体は、外から容易に観察できることから、個として完結しているような先入観をもたれやすい」、これは発達心理学者の浜田寿美男先生が指摘されたことです。

他の人の身体を眺めるなら、それは自己完結しており、完璧なものに見える。自分も、そうありたいし、他者にも「自らの中で完結している」ことを求めてしまう。この「個体能力主義的な見方」は、わたしたちの子育てや学校教育、そしてコミュニケーション観などにも影響を及ぼしているようです。

子どもの身支度《みじたく》を手伝いながら、「靴下くらい、はやく自分ではけるようになるんだよ！」と思わず口にしていることでしょう。一方の子どもたちも「もう、ひとりでできるもん！」と、その期待になんとか応えようとします。学校教育でも、「テストは一人で受けるものであり、誰の助けも借りてはいけない」との不文律があり、学生たちも「この問題くらいは、ひとりで解けるはず！」と意気込んでいる。高齢者の多くも、「まだまだ若い人の世話なんかになりませんよ」と強がってしまう。

改めて考えるなら、わたしたちは、この「ひとりでできる」ことを是とする文化の中で育ち、いまもその渦中にあります。誰の助けも借りずに、一人で行えることを美徳と感じており、誰かのやっかいになっている人に対して、ちょっとだけ厳しい目線を向けてしまう。どこか息苦しい社会をわたしたちの心の中で作り出してしまっているようです。

ここでもう少し、目線を変えてみてはいかがでしょう。子どもの靴下をはく様子をもうすこし丁寧に観察してみると、とてもおもしろいことに気づきます。

子どもはどこで覚えたのか、座面の広い椅子に腰を掛け、背もたれに背中をぴったり押しつけています。あるときは、お母さんやお父さんの背中を借りて、あるいは部屋の隅に移動し、その壁に背中を押しあてています。その方が身体のバランスを維持しやすいのでしょう。一人で上手に靴下をはいているように見えたけれども、ちゃっかりまわりを味方につける術を身につけていたようです。

この「靴下を上手にはく能力」は、どこにあるのか。いつの間にか子どもの身体に備わったものと捉《とら》えてもいいのですが、まわりとの間に分かちもたれているとも考えられるのです。こうした観点から、「自立する」ことについても新たな見方ができます。『リハビリの夜』(医学書院、二〇〇九年)などの著者として知られる熊谷晋一郎先生は、「自立するとは、むしろ依存先を増やし、分散させておくことだ」(熊谷晋一郎「依存先の分散としての自立」村田純一編『知の生態学的転回 第2巻』(東京大学出版会、二〇一三年))と指摘しました。

「あれっ、自立するって……」

「誰の助けも借りずに、ひとりでできるようになることなんじゃないの?」

「依存先を増やしたら、自立することにならないのでは……」

ちょっとパラドキシカルな言葉に聞こえるかもしれません。

ここで、大きな地震に見舞われ、屋外に急いで避難するという状況を思い浮かべてみましょう。地震でいつものエレベータが停止していたら、階段を使って避難することでしょう。もし停電で階段の明かりが消えてしまったら、その壁や手すりを頼りにすることと思います。「あり合わせを上手に使って、その場を凌《しの》いでいく」、その意味ではブリコラージュの一つといえそうです。

わたしたちは、誰の手も借りずに一人で避難しているように見えたけれど、むしろその依存先は多様であって、いろいろなところに分散している。一方で、なんらかの障がいを抱えた人というのは、そうした依存先が限られている人たちなのではないのか。その意味で「自立するとは、誰の力も借りずにひとりで行えること」ではなく、むしろ「その依存先を豊富にもち、それを分散させておくこと」が肝要なのだと……。熊谷先生は、先の震災での実体験も踏まえて、こうしたことをわたしたちに気づかせてくれたのです。

「ひとりで靴下をはけるようになった子どもの姿」に当てはめるなら、ここでの依存先とは、お母さんやお父さんの背中であり、座面の広い椅子の背もたれ、あるいは部屋の壁などです。そういうものをまわりにたくさん用意しておき、そのときの状況に応じて、まわりからの支え(=依存先)を適当に使い分ける。このことの繰り返しが、「ひとりで靴下をはけるようになる」、つまり子どもが「自立していく」ことなのではないかというわけです。

その地面がわたしたちを上手に歩かせている

「わたしたちの身体は、個として完結しているような先入観をもたれやすい」、このことは他の場面にも当てはめることが出来ます。第2章でも紹介したように、わたしたちの「歩行」もその一つでしょう。

他の人の歩いている姿は、自己完結していて、完璧なものに思えます。二足歩行ロボットの開発でも、その姿は「あこがれ」だったわけです。どうしたら、そんな風に歩けるものなのか。さまざまな試みの中で、ターニングポイントとなったのは、「静歩行モード」から「動歩行モード」への移行でした。

当初、研究者の視点からは、「誰の助けも借りずに、自分の力だけで歩いている」ように見えたのでしょう。これを丁寧に模していけば、自らの力だけで歩けるのではないか……。まず、右の足底に重心をしっかり確保しつつ、もう片方の足を慎重に前に進める。左の足が地面に着くのを見計らいつつ、その足底に重心を移動させる。そこでバランスを保った上で、また右側の足をそーっと前方へと進める。これを繰り返せば、「歩く」行為を生みだせるのではないか。

ところが片方の足を前に進めようとするとき、もう片方の足はほぼ「一本足」の状態になってしまうようです。そこで自らの身体の揺れに気を配りながら、そーっと行う。これではなんとも頼りなく、非効率です。しかも、小石などを踏んでバランスを崩すならば、すぐに倒れてしまうことでしょう。

かつてのロボットの歩行パターン(=静歩行モード)は、まさに「ロボットのようだ」と形容されるような、機械的でぎこちないものでした。「自らの責任の範囲だけでしっかり歩くなら、まわりの影響を受けず、完璧な歩行になるのでは……」との期待もむなしく、とても不安定で、脆弱《ぜいじゃく》なものだったのです。

このところの二足歩行ロボットでは、もうそんなイメージはありません。軽くステップを踏み、小走りするものさえあります。どのような飛躍があったのでしょう。試行錯誤を経て見いだされたのは、「自分の力だけでなんとかしよう……」との拘《こだわ》りを捨てて、むしろ「地面を味方につけてしまおう!」との方略の転換でした。

なにげなく一歩を踏み出そうとするとき、わずかに勢いあまって、重心は足底（＝支持基底面とも呼ばれる）から、わずかに外れてしまった。すこし前のめりになって、倒れ込む感じでしょうか。ところが自らの制御をほんのすこし放棄してみると、その踏み出した一歩はたまたま地面からの反力の助けを借りて、どうにかバランスを維持できた。これを繰り返してみたら、地面に対する〈委ね〉と地面からの〈支え〉との連携も生まれ、結果として、しなやかで軽快な歩行モード（＝動歩行モード）を見いだしたというわけです。

この地面からの支えやダイナミックな連携は、その様子を外から観察していては見えないものでした。行為者として、その内側から行為を繰り出してみる、そんな能動的な行為によって、初めて見いだされた「地面との動的な関係性＝ダイナミクス」だと思うのです。

わたしたちは、たしかに自らの意志で地面の上を歩いています。しかし一方で、「その地面がわたしたちを歩かせている」ともいえそうです。ドキドキしながらも、一歩を地面に委ねてみる。すると、そんな期待に応えるかのように、地面がその一歩をしっかり支えてくれた。わたしたちのなにげない歩行は、この小さなドキドキの積み重ねだったわけです。

こうした地面に半ば委ねたような歩行を実現する上では、「どうなってしまうかわからないけれど、きっと支えてくれるはず」と、地面に対する信頼も大切な要素でしょう。その信頼を欠いていては、周到に備えようと高コストとなるばかりか、ぎこちなく脆《もろ》いものになってしまいます。つまり、薄氷の上を踏むように、一つひとつ重心移動を確かめながら歩く「静歩行モード」に舞い戻ってしまうのです。

ノートにメモをとったり、絵を描くときはどうでしょう。「あなたは、いつも字が上手だね！」とほめられてきた人もいると思います。

ふだん字が上手に書けているのはどうしてなのか。「それは、わたしの手先が器用だから……」など、その理由を「自らの能力やセンスによるもの」と捉えることも多いと思います。しかし、その様子を丁寧に見るならば、紙と鉛筆との間にある摩擦なども、大切な役割を果たしているようです。

いつも上手に字を書いたり、絵を描いたりする人でも、パソコンのタブレット上では、つるつるして、いつもの調子が出ません。自らの意志と手先の柔らかな動きだけで、ペンを操っていたわけではなさそうです。

上手な絵を描いていたのは、たしかにわたしたちなのですが、同時に、そのペンと紙との間の摩擦が上手な絵を描かせていた。その意味で、「絵を上手に描く」能力は、わたしたちとその摩擦との間に分かちもたれたものといえそうです。

自らの中に閉じることなく、まわりを味方につける！

ここまで「ひとりでできるって、ホントなの？」との観点から、子どもが一人で靴下をはこうとする姿、人や二足歩行ロボットが地面の上を歩く様子、そして紙の上に絵を描くような場面を見てきました。

わたしたちの「身体」だけでなく、一つひとつの「行為」を見る上でも、観察者の視点と行為者の内なる視点がありました。観察者の視点からは、子どもたちが靴下をはいたり、なにげなく歩いたり、上手に絵を描くための能力は、それぞれの行為者の中で完結し、閉じたものとして捉えられやすいのです。

そこで、もう一方の「行為者の内なる視点」に立って捉え直してみたわけです。そのためには、行為者として、自ら身体の中から行為を繰り出してみる、あるいは実際に二足歩行ロボットなどを作り、そのロボットの内側から行為を繰り出してみる方法などが考えられます。

そうした試みにより、「左目から見た自画像」のように、そこから不思議な世界が見えてきました。それは、たとえば「自らの中では、その行為の意味や価値を完結できない」こと、そして「わたしたちのまわりに、わたしたちをそっと支えてくれているものがある」こと。

これらは外から見ていただけでは、気づきにくいものでした。

そんな経験を重ねながら、わたしたちの行為は、自らの中に閉じることをあきらめ、外に開くという方略を取り始めたのでしょう。ちょっとドキドキしつつも、まわりに半ば委ねてみた。そこで、わたしたちの身体や行為が手に入れたのは、意外にも「しなやかさ」や「強靭さ」でした。

一人で靴下をはかなければ……と、身体をこわばらせていては、すぐにバランスを崩して、靴下をはこうとする手元が狂ってしまう。そこで、その身体をまわりに半ば委ねてみたら、とてもスムーズに靴下がはけるようになった。まわりとのかかわりの中で、結果として、しなやかな身体を手に入れたわけです。歩行の場合でも、「なんとか自分の力だけで……」との拘りを捨て、地面に半ば委ねてみた。すると、ぎこちなさや脆さがすっと取れて、とてもしなやかな歩行を生みだせるようになったわけです。

このことは、生き物たちの「進化」の過程とも無縁ではなさそうです。

子どもたちの柔らかな動きに見られるように、わたしたちヒトは、その進化の過程でとても柔軟な身体を選び取ってきたといいます。骨格や筋肉など自由に動かせる要素の数は、「自由度」あるいは「運動自由度」と呼ばれるもので、数百〜数千もあるといわれています。

片方の手の指の関節やそれを動かす筋肉の種類を考えると、少し想像できるのではないでしょうか。こうした柔軟な身体から生みだされる、俊敏で多様な振舞いは、外敵から身を守ったり、他の生き物を捕食するなど、生態系で生き延びる上では、とても大切なものだったはずです。

ただ、それと引き換えに大きな課題も抱えることになりました。生まれたばかりの赤ちゃんが床に身体を横たえ、ただ手足をばたつかせているように、これらの身体を自らの力だけで律するのは、大きな困難を伴うのです。

つまり、身体動作の柔軟性や多様性と引き換えに、「自らの身体にある数百以上もの自由度をどのように律するか」との課題をあわせもつことになりました。それを克服するための解の一つが、「まわりを味方につけながら、冗長な自由度の一部を減じてもらう」という方法です。しかも、まわりの環境に高度に適応するために必要だった自由度を、そのまわりの助けも借りながら律しようというのです。

たとえば、地面は、わたしたちの歩く行為が向かう対象であると同時に、その行為の一部を制約し、方向づけていきます。つまり、歩行にまつわる運動自由度の一部を減じるなど、その制御の一部を担っているわけです。

紙の上に絵を描く場合はどうでしょう。その手や腕は、とても柔軟に動き、複雑な文字を書いたり、なめらかな絵を描くことが出来ます。冗長《じょうちょう》なくらいの自由度を備えているからです。でも、丁寧な絵を描くためには、これらの自由度を適切に律する必要があります。そこで機能していたのは、紙とペンとの間にある摩擦でした。靴下をはこうとする子どもの身体を支えていた「椅子の背もたれ」も、身体の制御の一部を担ってくれていたわけです。

❁オドオド、モジモジの正体は？

先に述べたように、わたしの中学時代は、どこかオドオド、モジモジ。自分の所在が定まらない、なにをしていいのかわからない、なにが出来るかもわからない……。いまなら、「コミュ障」とか、「陰キャ」などの言葉だけで済んでしまうような話でしょうか。

でも、これまでの議論から解釈するなら、「冗長な自由度(＝可能性)を抱え込んだまま、どう律していいものか、もがいていた！」と捉えることも出来そうです。

「それって、いまの姿でもあるのでは？」

「どんな言葉を選んだらいいのか……」

「どんな構成にしたら、もっと伝わるのか……」
「たくさんの可能性を抱えたまま、そこに立ちすくんでいる！」
「あっ、そうか。これって、いまの気分そのものだよ……」

じゃあ、どうすればいいのか。たとえば、原稿を仕上げるときの「締め切り」という時間的な制約も、この自由度を減じるために効果的なものでしょう。選択肢が狭まり、あとは前に進むだけという状況を作り出してくれるのです。

あの頃のモジモジしていた自分に言葉をかけるなら、「まぁ、とりあえず一歩を踏み出してみてはどうか……」でしょうか。その一歩が難しければ、先ほども書きましたが、立ったり座ったり、首を左右に振ったりするといったことから始めるのでもいいと思います。そうして一歩を踏み出してみると、自分の立ち位置も明確になり、そこで多くの自由度(=可能性)の一部を制約してくれます。やれること、やるべきことも、はっきりしてくる。これは「生態学的な自己」と同じものだろうと思うのです。

このことは、人前でなにかを話し始めるときにも当てはまります。みんなの前で挨拶しようとするとき、ちょっとドキドキする……。それは、どんな言葉をかけていいのかわからない。その言葉の意味も、自らの中に抱え込んだままでは定まらないためでしょう。
身体が抱える「冗長な自由度」を一つのメタファとして考えるなら、「たくさんの選択の可能性を抱え込んで、立ちすくんでいた」、「自らの中に抱え込んだままでは、言葉の意味に冗長な自由度を含んで、なかなか一意に定まらない」、そんな状態だろうと思うのです。そもそも、なぜわたしたちは悩むのか。それは、「抱えきれないほどの自由度をもて余しているから……」なのです。

そこで、とりあえず言葉にしてみる。「えーと、どうしようかな?」でもいいはずです。その言葉に呼応して聞き手の表情もわずかに変化し、「えーと、どうしようかな?」の意味の可能性も制約されます。すると、次の言葉の選択範囲も、自ずと絞りこまれ、ずっと話しやすくなります。ここでも、「とりあえず迷っていたら、一歩前に!」なのです。

ロボットたちはドキドキすることはないのか?

これまでの議論をロボットに当てはめてみると、また新たな「問い」が生まれてきます。ロボットたちはドキドキすることはないのか。例の講演会場で、わたしの代わりにロボットに講演させてみてはどうか。講演原稿を読むだけなら、簡単そうに思えるけれど、それで気持ちは伝わるのでしょうか。そうした場面では、ロボットはどんな気持ちなのでしょう。

「そういえば、ロボットの内なる視点からは、聞き手をどんな風に捉えているのか……」
「相手の目を気にしながら、オドオド、モジモジ……」
「どこかオドオドしながら話そうとするロボットって、かわいいかも……」
「あっ、そうか……」

わたしたちが他の人の身体の中に入り込むのは、とても困難なことです。ところがロボットの内側へは、とても簡単に入り込めるのです。ほとんど〝箱男〟感覚です。そこに物理的に入り込めなくとも、ロボットの目のところに搭載されたカメラ（＝内なる視点）を介して、外の様子を観察することもできそうです。目の前の人は、ロボットの身体をまとった「自分」をどのようなものと捉えてくれるのか。そうした観察も行えそうです。

くわえてロボットから、発話を繰り出してみたらどうでしょう。相手はちゃんと振り向いて、聞き手となってくれるのか。これは実際に行ってみる必要がありそうです。

さっそく天気予報などのニュースを引用し、「きょうは、西日本では晴れる所が多く、各地で気温が上がります！」と発話させてみました。たしかに、ニュースの内容は聞こえてきます。ただ、その声は誰に向けられたものなのか。この合成音声は「宛名」を欠いているようなのです。

そこで一枚の板を楕円に切り抜き、シンプルな顔を作ってみました。そこにキョロキョロとした目を一つ。せっかくなので、そこにカメラも埋め込んでみました。これは後に〈トーキング・アリー〉の原型となりました。

そんな顔の向きの助けも借り、発話させてみました。でも、ニュースのテキストをただ朗読しているだけです。そこにドキドキした様子はありません。その発話は流暢《りゅうちょう》だけれども、どこかよそよそしいのです。

そこでロボットの内側に入り込み、音声合成エンジンの助けも借りながら、発話を繰り出してみたのです。でも、「きょうは、西日本では晴れる所が多く……」と話してはみたものの、誰も注意を向けてくれません。「あれっ、どうした……」

相手を振り向かせるには、どのようなタイミングで発話すればいいのか。どんな言葉をかければいいのか。オドオドまではいかなくとも、少し戸惑ってしまいます。自分の発話にもかかわらず、その発話のタイミングさえも、自分の中では決められない。どんな言葉を選べばいいのかも、自分の中だけでは決められない。なんとなく、いい淀んだり、躊躇《ちゅうちょ》してしまう……。まさに、これまでの議論を実感してしまったわけです。

そうであるなら、外側に手がかりを探すほかはありません。もて余した自由度の一部を聞き手に制約してもらうわけです。その一つの手がかりは、「聞き手性」と呼ばれる、聞き手からの「いま、あなたの話をちゃんと聞いてますよ」とのシグナルです。

相手に何かを話しかけるには、「あなたに話そうとしていますよ」と、聞き手に対して「宛名」を表示し、聞き手も「あなたの話をしっかり聞いてますよ」との聞き手性を表示しあうわけです。先ほどの表現にならうなら、聞き手は話し手の発話が向かう対象であると同時に、話し手の発話を制約し、方向づけてくれる存在でもあるのです。

オドオドと話そうとする〈トーキング・アリー〉

新生〈トーキング・アリー〉に、相手からの「聞き手性」の有無を判断する機構を設けて、さっそく試してみました(図４・３)。

とりあえず「あのー、えーと」と言葉を繰り出し、相手の様子をうかがいます。これは「発話開始要素」と呼ばれています。「いま、発話を始めたい」との気持ちをまわりに気づい

図 4・3 相手の目を気にしながらオドオドと話そうとする〈トーキング・アリー〉

てもらうため、外に開示してみる(=ディスプレーする)のです。

ちょっと脈がありそうなら、「あっ、あのー」と相手をもう少し誘い出してみます。ほんの少しでも注意がこちらに向くのを確認したら、すかさず「えーと、きょうはね」と切り込むのです。もう少し話を聞いてくれそうなら、「にっ、西日本ではね」……。すこし相手の視線が外れそうなときには、「えーと、あのね」と懸命につなごうと試みます。

なにげなく言葉を繰り出し、相手を味方につけつつ、その支えを受けながら、どうにかこうにか、言葉をつないでいく。ちょうど動的なバランスを維持しつつ、地面の上を歩く感覚でしょうか。少し慣れてくると、話し手の〈委ね〉と聞き手からの〈支え〉とが呼応しあって、ダイナミックなつながりを生みだすのです。

「あのー、えーとね。あのー」

「えーと、きょうはね」「西日本ではね」
「あのー」「晴れっ、晴れる所が多くてね」
「そのー」
「かくっ、各地でね」「えーと、気温がね」「あっ、あがるんだって!」
「しってた? えーと……」

ふだんのなにげない会話でも、その内容をテキストに書き起こしてみると、いい直しやいい淀みがたくさん含まれており、ちょっと驚いてしまいます。ところが会話の最中では、あまり気にならないものです。

〈トーキング・アリー〉からの発話も、相手を気にしながら、どこかオドオドしていて、非流暢なものですが、それほど聞きにくいものではありません。むしろ懸命に伝えようとする意志が伝わってきます。こちらの状態に配慮してくれているようで、やさしさも感じます。

ただ、聞き手になってあげているだけなのですが、ロボットに頼られているのも嬉しいものです。そんなこともあって、思わずその場に引き込まれてしまうのです。

ロボットであっても、自らの中に閉じていては、その発話タイミングさえもつかめない。

そこで、聞き手に半ば委ねてみることにした。すると、聞き手側の積極的な参加を引き出し、一緒に発話を生みだすことが出来たというわけです。

ニュースをただ朗読していては、こうした感覚は得られません。どこかよそよそしく、一方的に押しつけている感じもあります。聞き手からの支えを予定したものではないことから、そこに置いてきぼりにしてしまうことでしょう。

これまで「自分の伝えたいことは、ちゃんと考えてから、言葉にするんだよ」と教えられてきました。けれども、とりあえず言葉にしてみなければ、見えないこともあります。オドオドしたり、モジモジしているのは、自らの中で考えあぐねているだけでなく、なんとか外に手がかりを求めようと探索していた。そんな見方も出来そうです。

わたしたちのいい直しやいい淀みも、そうした探索の過程で生まれたものといえそうです。「わたしたちの行為や発話は、そもそもやり直しをすることを前提に繰り出されている」、そんな風に捉え直してみると、とても気持ちが軽くなるのです。

子どもたちの言葉足らずな発話に学ぶ

人前ではとても緊張するからといって、あまりに用意周到なのも考えものです。挨拶の際にも、あらかじめ原稿を用意しておけば安心ですが、それをただ朗読していては、聞き手を置いてきぼりにしてしまいます。視線をちょっと外した隙《すき》に一部を読み飛ばしたり、あわてて原稿を落としてしまう。これでは、目も当てられません。

聞き手の関心もうつろいやすく、さまざまな状況を想定した上で、すべてを備えておくのは現実的ではありません。先ほど述べた生き物の「進化」に学ぶならば、「さまざまな状況に適応したければ、作り込みを最小にして、その多くを環境に委ねよ！」ということ。ふだんの会話場面などに当てはめてみると、子どもたちの言葉足らずな発話に、その片鱗《へんりん》が残されているようです。

「きょうね、いっぱいあそんだ！」（えっ、誰と？）
「そらちゃん」（へぇー、なにしてあそんだの？）
「おえかきした！」（あー、そうなんだ！）
「ひなちゃんもいっしょ」（へぇー、たのしかった？）
「うん」……

ちょうど小学校から帰ってきたばかりなのでしょう。言葉足らずながら、今日の楽しかった出来事をお母さんに伝えようとしています。どこかぶっきらぼうで、不完全なところもありますが、聞き手からの助け舟や積極的な解釈を上手に引き出して、なんとかおしゃべりを続けてしまいます。

「きょうね、いっぱいあそんだ！」は、「きょう楽しかったことをひとまず伝えておこう！」との思いが先走ってのこと。あるいは、「他のことは適当に解釈してくれるだろう」との期待もあってのことなのでしょう。

このように言葉足らずな発話というのは、聞き手に対して半ば委ねたもの、つまり相手に「開いている」という側面もありそうです。くわえて、不完全な状態であることを隠すことなく、思うままを外にさらけ出している側面もあります。それに対して、聞き手もつい引き込まれ、「誰とあそんだのか」、「どんなことをしたのか」と矢つぎ早にたずねてしまう。そんな助け舟や関心に支えられるようにして、「そらちゃん(と遊んだ)」、「おえかきした！」という新たな情報が引き出されるのです。

それに、「きょうはね、そらちゃん、ひなちゃんとおえかきして、いっぱいあそんだ！」、「とても楽しかった！」との内容を一方的に伝えるはずの発話は、いつの間にか、聞き手との協働作業となっています。その結果、過不足なく話せる子どもの発話とくらべても、コミュニケーションは豊かなものに思えます。くわえて、聞き手の関心にも上手に適応しており、地面を味方につけた「動歩行モード」にも似て、とてもしなやかなものに思えるのです。

「ここで繰り出された発話は、誰のものなのか」と考えるなら、半分は話し手である子どもの発話であり、半分は聞き手の支えによって生みだされた発話といえそうです。自らの責任で情報を相手に伝えるとの観点からは、責任を半ば放棄しているわけですが、「すべてを自分の中に抱え込まずに、相手にその一端を負わせてしまう」、そんなちゃっかりした側面もあるようです。子どもにしてみれば、すべてのことを言葉にしなくても、なぜだか通じてしまう。ほんの少し「エコ」な気分も味わっているのかもしれません。

もう一つ、この言葉足らずな発話は、「その解釈の幅が広く、冗長な自由度を含んだもの」と捉えることも出来ます。自らの中で、限られた時間の中で、詳細なところまで表現することが難しかった（＝自由度を律することが出来なかった）と捉えるべきか。それとも、相手の関心のうつろいにも適応できるように、冗長な自由度を含んだ発話表現をあえて選んでいるのか。

ちょっと考えすぎなところもありますが、冗長な（解釈の）自由度を残したまま、相手に半ば委ねて、その自由度の一部を減じてもらう。同時に、相手の関心も引き込み、一緒に発話を生みだしていく。そんな風に捉えてみてもおもしろいでしょう。一方的で過不足のない発話よりも、どこかしなやかな方略に思えるのです。

✿〈お掃除ロボット〉のしなやかな方略とは？

自らの中にすべてを抱え込むのではなく、むしろ作り込みを最小にして、まわりに支えてもらう。そこで一緒に行為を生みだしていく。本章の中で議論してきた、なにげない歩行や言葉足らずな発話などに見られる、こうした方略は「チープデザイン」とも呼ばれています。動物などが生態系で生き延びていくための肝であり、〈弱いロボット〉たちの得意とするところなのです。

これまで「自己完結であれ、そして完璧を目指せ！」、「用意周到に！」と思いながらも、どこか無理をしていたのかもしれません。「完璧さ」や「強さ」を目指していたにもかかわらず、意外にも脆く、「しなやかさ」を欠いていたようです。本章をまとめるにあたり、この「しなやかさ」を「レジリエンス」という言葉に置きかえて整理してみたいと思います。

この「レジリエンス」とは、打たれ強さ、回復力、あるいは強靱《きょうじん》力などと訳されます。二足歩行ロボットであれば、不意にバランスを失いかけても、なんとか踏みとどまっている。もっと身近なところでは、不運が重なり、心が折れそうになっても、なんとか踏みとどまる場面などに当てはまるでしょう。

では「その作り込みを最小にせよ。その多くを環境に委ねよ！」との「チープデザイン」の方略は、どうして「しなやかさ」や「レジリエントな振舞い」につながるのか。すでに多くの家庭で生き延びている〈お掃除ロボット〉の振舞いを見ておきたいと思います。

このところの〈お掃除ロボット〉は、初期の頃にくらべて、とても洗練されてきました。スイッチを入れると「ポロロン！」と軽快な音にあわせ、静かに動き始めます。あたりの様子を探ると、すぐさま部屋の隅へと移動し、そこで行ったり来たり……。「あれっ、なんだかとても大人しい！」と思わず口にするほど、性格も一変していました。一つひとつの物腰がとても慎重で、なかなか几帳面《きちょうめん》な仕事ぶりなのです。

かつての〈お掃除ロボット〉は、どのようなものだったのか。初めはモジモジしつつも、ひとたび方向を定めたかと思うと、あとはまっしぐら……。部屋の壁にぶつかり、それ以上は進めないと判断するや、クルリと方向転換をして、ふたたびまっしぐらに。この愚直さが魅力でした。不思議なことに、その姿を思わず追いかけてしまうのです。

「えっ、部屋の壁にぶつかるのを承知で、なぜぶつかっていくの?」
「アホだなぁ……」
「でも、コツンコツンとまめに掃除してくれている……」

椅子やソファの縁にコツンコツンとぶつかるたびに、小さく進行方向を変えます。そんな甲斐甲斐《かいがい》しい仕事ぶりを見るにつけ、思わず応援してしまうのです。床の上に置かれたモノを先んじてどかしてあげる。部屋の隅にあるコード類を束ねたり、テーブルや椅子のレイアウトを変えてみたり……と、一緒に部屋の中を片づけるのも楽しいものです。

ここでとても興味深いのは、いろいろなところにぶつかり、ぶつかりしながらも、部屋の中をまんべんなくお掃除してしまうことでしょう。「この気ままなお掃除ぶりは、はたして効率的なものなのか」との心配をよそに、それなりの結果をちゃんと残しているのです。

一般家庭の中で動き回ることを考えれば、本来はいろいろな事態を想定しておく必要がありそうです。乳幼児などにぶつかり怪我をさせることはないか、蚊取り線香を倒して、火災を引き起こすことはないか。これらを予見し、すべてに対して備えるのはとても大変そうです。

ただ、用意周到に準備し、その動作を作り込みすぎると、独りよがりな行動となりやすく、柔軟性を欠いてしまうのです。むしろ複雑で未知の環境に溶け込むには、行き当たりばったりに思える行動も、それなりに理にかなっているようです。

それはどういうことでしょう。複雑な環境に適応するために、冗長な自由度(＝選択肢)を備えておき、目の前に差し迫る困難に対しては、その場でのあり合わせを生かしながら凌《しの》いでいく。袋小路などに入り込んでも、コツンコツンと試行錯誤を繰り返し、なんなく抜け出していく。この利用できるリソースを生かしながら、その状況に応じてオリジナルな解決策を組み立てていく様は、まさに「ブリコラージュ」そのものです。また「ここはオプションBで！」、それがだめなら「オプションCで行こう！」と矢つぎ早に次善策を繰り出していく。これは「敏捷性《びんしょうせい》」とか、「アジリティ」と呼ばれています。

もう一つのポイントは、「利用できるものは、なんでも……」といった柔軟さや貪欲さです。部屋に配置されたテーブルの脚や椅子、ソファーなどの縁は、お掃除ロボットの進行を妨げる障害物にも思えますが、どうも様子が違うようです。それらと絡むようにして、ちゃっかり新たな進行方向を生みだしてもらい、部屋の中をまんべんなくお掃除してしまうのです。「この部屋のことは、この部屋に聞け！」とばかり、その制約を拘束条件として生かし、一緒に行動を作りあげる。目の前の「障害」とうまく対峙《たいじ》し、それを素早くチャンスに変えていたのです。

それと忘れてはならないのは、その「愚直さ」です。「人にぶつかったら危ないのではないか……」、「部屋の壁にぶつかるのを承知で、なぜぶつかっていくのか……」、そんな心配はお構いなしのようです。自らの能力の限界を素直に受け入れ、それを隠すことなく、さらけ出すことに徹底している。

人にぶつかり、怪我をさせることが少ないのは、幾重にも安全装置を備えているからではなさそうです。むしろ、まわりの人たちが気を使い、上手に避けてくれるからでしょう。進行の妨げとなりそうなものを先んじて退けてあげる。「コードを巻き込んではたいへん！」と、床の上に散らばったコードを束ねてあげる。そんな気遣いややさしさを引き出してしまうのも、ロボットが自らの状態を隠さず、さらけ出しているからだと思うのです。

いい直し、いい淀みのすすめ！

「人前で話すときには、自分の伝えたいことをしっかり整理してから、いい淀むことなく、流暢に……」と、そんな呪縛にとらわれてきました。それはわたしだけではないと思います。ただ年齢を重ねてみると、「もっと素のままでいいのでは……」と思っています。ふだんの気取りのない会話の様子などを観察してみると、人とのかかわりにおける「しなやかさ」や「レジリエンス」を考える上で、多くのヒントが隠されているのです。

「でー、そうねー」「そこのお店のー、内装とかすてきでー」
「あの、いまー、最近、六本木とかー、銀座とかー、よくお店が出てるんですけどー」
「えー、なんか、壁は白いしっくいでー、でー」
「柱、黒い、黒い柱が、おっきい太い黒い柱が、ぬっと出ている」
「なんていうかなぁ、フランスの田舎風って感じのー、んー」
「そんな感じのレストランなんですね」

かつて利用したレストランの雰囲気を伝えようとしているのでしょう。とりたてて準備することなく、まさに思いつくままに……。

発話の中に見られる、「えーと」「でー」「あのー」などはフィラーとも呼ばれます。「いま、次の言葉を探してます、まだ話は続くんですよ!」と、いまの心の内を隠すことなく、さらけ出しているわけです。会話の中にあっては、こうしたいい直しやいい淀みも、それほど気になりません。むしろ、話し手の心の動きがよく伝わってきて、思わず寄り添ってしまうのです。

とりあえず頭に浮かんだイメージを言葉にしてみる。と、もう少し具体的なイメージが膨《ふく》らんできて、それを新たな言葉で補う。そんな繰り返しになっているようです。言葉や発話は「思考の道具」でもあるのです。

まず印象的だった「内装」の様子を伝えようとします。「素敵な内装であること」、「六本木や銀座にもあること」、「壁は漆喰《しっくい》であったこと」、「フランスの田舎風であったこと」など、記憶や表現の断片をかき集めながら、相手の手助けも借り、その場でオリジナルな表現を組み立てていく。まさに「ブリコラージュ風の発話」であり、わたしたちは「ブリコローグ(bricologue)」と呼んできました。

自分で表現したいイメージとのずれがあれば、すかさず次善策(=オプションB)を並べてみる。ここでの「いい直し」や「いい淀み」は、コミュニケーションにおける「しなやかさ」や「レジリエンス」を生みだす上で要となる、「敏捷性(アジリティ)」の表れともいえます。目の前に迫る課題に対して、「あり合わせ」を上手に生かしながら、凌いでいくわけです。これらは、一つひとつの発話片や記憶の断片にも当てはまるようです。レストランの中でとくに印象深かった「柱」のことを想起するにも、「黒い柱」のイメージが呼び水になって、「おおきい、太い、黒い柱」であったこと、「それがぬっと出ていたこと」など、ばくぜんとしたイメージは、しだいに具体的な表現へと組み立てられていくわけです。

これらの「ばくぜんとしたイメージ」を解釈の余地が残されたもの（＝解釈の自由度が残されたもの）と捉えることも出来ます。先に述べたように、聞き手の関心やそのうつろいに適応するために、「解釈の幅のある＝冗長な自由度を備えた」発話を繰り出すというのは、どこか理にかなっています。聞き手に意味を押しつけることなく、相手の解釈に合わせて、その自由度の一部を減じてもらう。つまり「相手の関心に寄り添うならば、自らの作り込みを最小にして、その多くを相手に委ねよ！」というわけです。

本章の後半では、「しなやかさ」や「レジリエンス」を生みだす、「ブリコラージュ」や「アジリティ」などの考え方を紹介してみました。「計画的に、用意周到に！」ではなく、ときには「行き当たりばったりに！」。自らの中に閉じるのではなく、むしろまわりに開きながら、味方につけてしまう。そしてあり合わせや偶然の出会いを上手に生かす……。これらは、第2章でも紹介してきたように、「合理的な思考」に対して、「野生の思考」と呼ばれるものです。「強者の戦法」ではなく、むしろ「弱者の戦法」といえるものでしょう。

第5章
コンヴィヴィアルなかかわりを求めて

利便性・効率性というモノサシを再考する

✿注文をまちがえる料理店

ときどき注文をまちがえてしまうかもしれませんが、どうかご承知おきください。そのかわり、どのメニューもここでしか味わえない、特別においしいものだけを揃えました……。こんな風変わりなレストランがあるそうです。その名も、「注文をまちがえる料理店」。

お客さんからのオーダーを間違えてしまうって、いったいどういうことでしょう。実は、ホールで働くスタッフの多くは、認知症の方々なのだとか。お客さんのところに、注文したのとは違う料理が運ばれても、「こっちもおいしそうだし、まっ、いいかぁ……」と、そのことを受け入れ、楽しんでしまう。このゆる〜い雰囲気はとても心地よさそうです。

これまでレストランといえば、どこかキリッとした緊張感がありました。お料理をテーブルに並べる所作にも、その調理に対しても、プロの技を期待します。サービスを受けるわたしたちもドレスコードなどに気を使い、ちょっとだけ襟《えり》を正している。そんな張りつめた場所だったように思います。

ところが「注文をまちがえるかも」と、ほんの少しスタッフたちの「弱さ」をさらけ出してみたら、お店の中のモードが一変することに……。スタッフの丁寧な応対に感謝しながら、お料理を受け取る。偶然の出会いを楽しむように、まちがって運ばれてきた料理をありがたくいただく。その懸命な仕事ぶりをねぎらいつつ、片づけに思わず手を貸してあげる。お互いの立場を越えて助け合い、みんなが一つになって、「しなやかなシステム」を作りあげるのです。これって、なんだか懐かしい光景にも思われます。

もう一つ、このところのファミリーレストランなどでも、同じような光景を目にするようになりました。例の「猫の顔をした配膳ロボット」の活躍です。

まだ拙《つたな》い所作《しょさ》ながら、ホールの中をコトコトと動きまわり、お客さんのところにお料理を運ぼうというのです。ただしロボットの仕事はそこまで。肝心《かんじん》のテーブルへの配膳は、そこに座っているお客さんに手伝ってもらうのです。このちゃっかりぶりは、とてもほほえましくもあります。そうして、わずかに愛嬌《あいきょう》をふりまくようにして、また厨房《ちゅうぼう》へと帰っていくのです。

ここで興味深いのは、お客さんもどこか満足げなところでしょう。お手伝いする子どもたちの様子をやさしく見守るように、思わず寄り添ってしまう。と同時に、お店の中の雰囲気も変えつつあるように思えます。ホールの中でロボットたちは他のロボットやお客さんにぶつかることなく、淡々と動き回っています。これを可能とするのは、ロボット側のセンサーの働きというより、お客さんが道を譲ってくれるからなのでしょう。

わたしたちにも苦手とするところはたくさんあります。こんなにたくさんの料理を一度に運ぶことは出来ませんし、お店のことも、厨房の中もよく知りません。そうであるなら、通行の妨げにならないように通路を譲ってあげる、配膳の一部を手伝ってあげるなど、自分たちの「強み」を生かせる範囲で貢献しあえばいいわけです。

こうして考えてみると、この配膳ロボットなども〈弱いロボット〉の一つといえそうです。このロボットの不完全さや弱さは、わたしたちから「ひとらしさ」や「仕事」を奪うのではなく、むしろ「ひとらしさ」を呼び起こしてくれるのです。

✿素朴な道具とわたしたちのかかわり

とても素朴《そぼく》な道具であるハサミなどの場合はどうでしょう。

ハサミはただ机の上に置かれただけでは、本来の機能を発揮できません。わたしたちの手の中にあって初めて、紙を細かく切り刻む、布や糸を断つなどの機能が立ち現れてきます。その意味で、ハサミはわたしたちの手の働きを必要とし、その自在に動く柔らかな手がハサミの「弱さ」を補っているのです。

一方で、わたしたちの柔らかな手では、堅いひもなどを断つことは出来ません。手の柔らかさ(=弱さ)は、ハサミの硬い鋼の手助けを必要とし、そこではハサミの「強み」を引き出しているのです。それと同様で、ハサミの「弱さ」は、わたしたちの手に備わる柔らかさを、今度は「強み」に変え、それを引き出していたのです。


「えっ、なんだか混乱してきた！」

「でも、ハサミが手の弱さを補うところまでは、よくわかる」

「まぁ、それが道具の使命だからね……」

「で、ハサミの弱さを手が補っている。そうか、このあたりが微妙なんだ……」

「ハサミにも弱さがあるって、考えたこともなかった！」

「それと、手の弱さがいつの間にか強みに変わるって……」

「言葉遊びがすぎるんじゃないの……」


このように素朴な道具とのかかわりでは、お互いになんらかの「弱さ」を抱えつつも、その協働によって、とてもしなやかな関係性を作りあげるようです。このとき、お互いの「弱さ」は消えて、もはや見えないものに。ただ、それぞれの抱えていた「弱さ」は、お互いの間でしなやかな関係性を生みだす「のりしろ」として、その背後でしっかりと機能しているようです。

素朴な道具がまだ世の中から淘汰《とうた》されず、むしろ重宝されているのは、こうした理由からなのでしょう。

〈〇〇してくれるシステム〉と〈〇〇してもらう人〉との微妙な関係

これらの道具にくわえ、この頃では、いろいろと便利なシステムや家電製品、高機能なロボットなどが登場してきました。家の中だけでも、洗濯機や冷蔵庫、食洗器、ガス給湯器、お掃除ロボット……、わたしたちの暮らしの中で、すでに欠かせないものになっています。厄介な仕事を任せることが出来れば、自分のことに専念できます。その方が効率的で、暮らしも豊かになるというわけです。

ところが〈〇〇してくれるシステム〉と〈〇〇してもらう人〉と、その役割の間に線が引かれた途端に、その関係はちょっと微妙なものになってはいないでしょうか。わたしたちはなにも手が出せず、ただやってもらうだけです。その間に距離が生まれることから、相手に対する共感性も薄れ、「もっと、もっと」と要求をエスカレートさせてしまうようです。たとえば、洗濯機はとても便利なものですが、それが当たり前になると、「もっと静かに！」、「もっと早く！」、「もっとキレイに！」と願ってしまいます。それに応えようとメーカーも量販店も、「この製品には、こんな新しい機能がついてるんです！」とのアピールを怠りません。そして、「同じような値段なら、この新機能がついたものがいいかなぁ」と思わず手にしてしまう。これが繰り返されると、使われそうもない機能がどんどん追加され、消耗戦《しょうもう》になってしまうようです。『誰のためのデザイン？』（新曜社、一九九〇年）の著書で知られるドナルド・ノーマンが、「なし崩しの機能追加主義」として指摘したことです。

暮らしの中に入り込みつつあるロボットたちはどうでしょう。「完璧に仕事をこなし、賢くて便利！」、そんな期待に応えようと、「ひとりでできるもん！」とちょっとばかり強がってしまうようです。けれども、期待と現実との間にはまだギャップがあります。

ロボットがゴミを摘《つま》み上げるにも、モタモタしてしまう。お料理を運ぼうとして、ときどき、粗相《そそう》してしまう。そんな姿に、「ちゃんとして！　どうして、こんなことが出来ないの？　あなたはロボットでしょ！」と思わず叱りつけたくなることも……。わたしたちは、いつ頃から、こんなに不寛容で傲慢《ごうまん》になっていたのでしょう。

このことは、人とロボットとの関係に限られません。先ほどのレストランなどでも、「料理やサービスを提供する人」と「サービスの提供を受ける人」と、その役割の間に明確な線が引かれると、「もっと温かいうちに！」、「もっと丁寧に！」、「もっとおいしい料理を！」と、その要求水準を高めてしまうようです。いわゆる、カスタマーハラスメントなどは、その延長にあるものでしょう。

学校の授業では、どうでしょうか。先生たちは懸命に講義内容を準備して、丁寧な資料を提供しようとします。ところが一部の学生からは、「もっと大きな声で！」、「もっとわかりやすく！」、「もっと丁寧に！」との声も聞こえてきます。それに応えて至れり尽くせりの努力を続けるも、むしろ逆効果なのかもしれません。学生はどこか受動的になり、豊かな学びを生みだしにくくなっているようなのです。

そういうことなら、「この説明じゃ、誰も理解できないだろうなぁ」という講義も何度かに一度くらいは許されてもいいのかもしれません。「えっ、どうしよう。ちょっとわからない……」という学生たちの緊張感も必要でしょう。あるいは「大丈夫かなぁ、この先生は……」と、ハラハラした感じの講義はどうでしょう。豊かな学びというのは、そうした緊迫した関係性の中にこそ生まれるように思うのです。

テクノロジーは本当に人を幸せにしているのか？

「利便性の高いシステムは、わたしたちを本当に幸せなものとしているのか」、こうした議論がいま各所で同時多発的になされています。

利便性、効率性、経済的合理性など、これらを懸命に追求してきたはずなのに、なんだか違う……。こんな便利なモノだけに囲まれて、本当に幸せなのでしょうか。たしかに便利なのですが、そこで自分が生き生きとした感じがしないのです。

かつてイヴァン・イリイチは、『コンヴィヴィアリティのための道具』（ちくま学芸文庫、二〇一五年）の中で、二つの分水嶺《ぶんすいれい》の存在を指摘しました。わたしたちはさまざまな道具を手に入れることで自らの能力を拡張させることができた（＝第一の分水嶺）わけですが、次第に利便性の高い道具やシステムに頼るなかで、いつの間にか隷属《れいぞく》していた（＝第二の分水嶺）というのです。

たとえば、自動運転システムはどうでしょう。たしかに便利なものであり、高齢者や障がいのある方々にとって福音となるものです。交通事故の低減や渋滞の緩和につながることも期待されています。ところが、「勝手に運転してくれるクルマって、いいかも……」などと油断していると、「なにも手が出せず、ただやってもらうだけ」の状況になってしまうこともあります。これまで培った経験や勘も生かせず、システムの独りよがりな行動に一方的に付きあうだけ。少し冷静に考えるなら、ただの「荷物の一つ」として運ばれるような気分にもなるのです。

あるいは、「ごはんを食べさせてくれるロボットがあったらどうか」と、そうした研究開発も進められています。たとえば手や腕に痛みやしびれがあったりして、お箸《はし》やスプーンなどが持ちにくいなど不自由がある人には、大切な支援機器となることでしょう。ただ、すべてをロボットに委ねてしまうのも考えものです。なにも手を出すことなく、ただ口を開けて待っているだけ……。どこかロボットの采配《さいはい》で生きながらえているような気持ちになってしまわないでしょうか。いったい、どこでボタンの掛け違えをしてしまったのでしょう。

至れり尽くせり……、相手のためを思い、すべてのことをやってあげる。この「相手のために!」と尽くしすぎる行動は、むしろ相手の主体性や「人らしさ」を奪ってしまう側面もあるのです。そうしたこともあり、モノやシステムとのかかわりでも、これまでの「利便性一辺倒の価値観」を見直してみようというわけです。

その一つのヒントは、「コンヴィヴィアリティ(conviviality)」という言葉にありそうです。

もともと「和気あいあいと食事を楽しむような雰囲気」を指す言葉で、「ともに(con-)・生き生きとした(vivial)」の意から、「自立共生的なかかわり」、「共愉的なかかわり」と訳されることもあります。先に「注文をまちがえる料理店」のところで述べたように、「お互いの立場を越えて助けあい、みんなが一つになって、その場を盛り上げている」、そんな雰囲気かと思われます。そうした中でお互いは、「自らの能力が十分に生かされ、そこで生き生きした幸せな状態」を指す、ウェルビーイング(well-being)をアップさせているようなのです。先のハサミの場合は、どうでしょうか。わたしたちの柔らかな手の中にあって、ハサミに新たな機能や役割が立ち現れます。と同時に、それを巧みに使いこなす者として、使い手であるわたしたちも新たに価値づけられます。ハサミが潜在していた能力を引き出してくれているのです。

あるいは、初めてクルマのハンドルを握り、アクセルを踏みこんだときに、とてもドキドキ、ワクワクしました。すぐに自在に操れるようになり、ロングドライブの後には、ちょっとした達成感や有能感も覚えたことでしょう。クルマはわたしたちの身体の一部となって、その機能を拡張してくれます。これはとても幸せなことであり、また街や道路と一体となった感覚はとても心地よいものでした。

ハサミとのかかわり、そしてクルマの運転。先ほどのイリイチの指摘に従えば、これらは「コンヴィヴィアリティのための道具」の一つであり、わたしたちのウェルビーイングをアップさせるのに、一役買っていたわけです。

ライアンとデシらの自己決定理論によれば、ウェルビーイングを支える構成要素として、「自律性」、「有能感」そして「関係性」の三つを挙げています。クルマの運転に当てはめるなら、クルマを自在に操れること(=自律性)、「次第にうまくなった……」という有能感や達成感、そしてクルマとの一体感や街と一体となった感覚(=関係性)などが、わたしたちのウェルビーイングをアップさせているようなのです。

「なんだか、幸せ!」の形……

みなさんが「なんだか、幸せ!」を感じる瞬間というのは、どんなときでしょう。ずっと気になっていた数学の問題がようやく解けたとき、ゲームの一つの場面をクリアできたとき、みんなで一つの作品を作りあげたとき……などでしょうか。

わたしがここしばらく気になっていたのは、「すぐおいしい! すごくおいしい!」のチキンラーメンです。このラーメンの麺《めん》のところには、なぜか「くぼみ」があるのです。ご存じの方も多いことでしょう。

これは「Wたまごポケット」と呼ばれているようです。タマゴをのせると黄身が真ん中のポケットにすっぽり収まり、まわりの縁で白身をしっかりとキャッチするのだとか。よくぞ考えたものです。

ほとんどの方はなにも気にせず、そのままお湯を注ぐだけかもしれません。このくぼみは必ずしもタマゴをのせることを強いてはいないのです。

「あらっ、きょうはタマゴを切らしていた……」
「そんなものをのせたら、スープがぬるくなってしまう！」
「わたしは、麺をそのままかじるのが好きなんだけど……」

と、人はそれぞれ。この配慮はありがたいものです。

タマゴに加え、ネギを刻んでのせてみる、あるいは海苔《のり》や薬味《やくみ》をのせて、オリジナルな味を楽しむ。ちょっとした工夫で味もどんどんアップする。そんな楽しみ方もありそうです。

こうしたトッピングが楽しめるのも、ベースにチキンラーメンのしっかりした味付けがあってのこと。わたしたちの工夫とあいまって、オリジナルな味を生みだせるのは、このコラボレーションのなせるワザなのでしょう。

こうして考えてみると、「今日のは工夫した甲斐があった……」、「なんだか、幸せ！」という幸福感を生みだす上で、この「くぼみ」がカギとなっているようです。

このラーメンの袋の中に、タマゴやネギ、海苔《のり》、薬味《やくみ》など、すべてのものが入っているわけではありません。そこにあるのは麺とその「くぼみ」だけ……。「あとの判断は任せますよ！」ということなのでしょう。わずかな手間や工夫する余地を残しておく。このことがわたしたちの潜在的な強みや工夫を引き出し、どこか生き生きとした、幸せな気持ちを生みだすようなのです。

すべての具材を提供してもらい、あるいは完全に調理してもらい「利便性」を選ぶのか。それとも余白を残してもらい「なんだか、幸せ！」な状態に浸るのか。後者の価値観は、先に紹介した「ウェルビーイング」そのものでしょう。

それを支えるのは、たとえば先ほどの三つの要素です。まず、チキンラーメンのくぼみをどう利用するかを自由に選べること。わたしたちの主体性や創造性までは奪わない。これは「自律性」を担保《たんぽ》することにつながります。

「きょうは、明太子をのせてみようかなぁ……」と、トッピングなどの工夫を重ねることで得られる、自分だけ感。そして「なかなかうまくなったものだなぁ」との有能感。それに、「今日の組み合わせは、抜群！」といった、チキンラーメンの味付けと自分の工夫のコラボレーション（＝関係性）などが、わたしたちのウェルビーイングをアップさせるというわけです。

「おいしいものをいただく、みんなで幸せになる！」、たぶん、みんなが目指しているゴールは一緒なのです。そんなゴールを共有し、お互いが自分の出来る範囲で貢献しあう。そこでの達成感やつながり感も、「なんだか、幸せ！」につながっているはずです。

その一方で、ちゃんと調理してあげることは、きっと家族の幸せにつながるはずと、張りきって完璧を目指してきたのに、どうも満足してもらえない。そんな疲弊《ひへい》感を抱くこともあるでしょう。

「わたし、作る人」、「ぼく、たべる人！」、反対に「ぼく、作る人」「わたし、たべる人！」も同様ですが、そんな風に、その役割の間に線を引いた途端に、そこにわずかな距離が生まれ、共感性を失ってしまう。このことは、先にも指摘したことです。

「ねぇ、ちょっと。この味、濃くない？」
「もうちょっと、熱々がたべたいところだけど……」
「たまには、外の中華屋さんに行かない？」

せっかくのやさしさが家族の傲慢さを引き出してしまうこともあるでしょう。それでは、家族の関係性を回復させるコツとはどのようなものなのか。「じゃ、ここは手を抜いておこう！」ではなく、わずかな手間や工夫する余地を残してあげること。たかがラーメンの麺の「くぼみ」なのですが、なかなか深いものだなぁと思うのです。

こうして考えてみると、「なんだか、幸せ！」な状態には、いくつかのタイプがあるようです。ひとつは、テーブルの上においしい料理を並べてもらい、なにも手を煩わせることなく、おいしいものをいただくことが出来たとき。たしかに、「なんだか、幸せ！」を感じる瞬間でしょう。

その他にも、誰かの手助けになれたり、みんなでなにかを成し遂げることが出来たりしたときの満足感、達成感、そしてみんなとのつながりの中で、ちょっとした幸福感に浸ることもあります。

本章の冒頭で紹介した、「注文をまちがえる料理店」の場合は、どうでしょう。おいしい料理を提供してもらう、それだけでも十分に幸せなことです。しかし、ホールスタッフの多くが認知症の方々であると知って、お店の中のモードが一変しました。

お互いの立場を越えて、「みんなでいい感じのレストランにしていこう！」との気持ちを共有し、「自分にも貢献できることはないか」と工夫しあう。食事のあとの片付けに手を貸してあげる。いつの間にか、みんなが一つになって、心地よい雰囲気を作りあげている。まさにコンヴィヴィアル(自立共生的)なかかわりを目指すものであり、これはこれで、「なんだか、幸せ！」というわけです。

✿「なんだか、幸せ！」な気持ちを共有する

子どもがようやく歩き始める姿は、どこかほほえましいものです。「思うがまま、移動できる」、「自在にどこにでも！」、子どもにとっても念願だったのでしょう。ようやく移動の「自律性」を手に入れたわけです。

もう一つは、身体の拡張感です。ドキドキしながら一歩を踏み出してみたら、地面がそっと支えてくれた。そのことで「歩く」という行為を手に入れた。地面からの支えを借りなが

ら、上手に歩けるコツもつかめてきた。そのタイミングの取り方や力の加減もわかってきた。あまり意識することはないにせよ、わずかな有能感や達成感を伴っていたはずです。

そして、地面の上を歩くと同時に、その地面が歩かせてくれる。そんな風に地面との間で「ひとつのシステム」を作りあげる。そんな喜びを味わっているようにも思えます。

生態心理学を創始したジェームズ・ギブソンは、「わたしたちは、動くために知覚しなければならない。けれども、知覚するためには、また動かなければならない！」と指摘しました。なにげない街歩きとそれを支える情報との間断のない行為・知覚循環。これが「その街と一体となった感覚」なのだと思います。

一人で歩けるようになった。ドキドキしつつも、なんだか嬉しい、楽しい。地面との間で「一つのシステム」を作りあげながら、「この街と一体となった感覚」を楽しむ。こうしたなにげない場面でも、ウェルビーイング、つまり「自らの能力が十分に生かされ、生き生きとした幸せな状態」を生みだしているわけです。

このことは、個人の中に留まるものではないでしょう。たとえば、ようやく歩き出した子どもと手をつないで歩く……。こんな些細《ささい》なことも、わたしたちにとっては楽しみの一つです。なにか目的があるわけではない。ただ一緒に歩くだけなのに、なんだかとても嬉しいのです。これはどうしてなのでしょう。

相手の歩調にも気を配りながら、一緒に歩く。その自由度の一部は制約されるけれど、行動を強いられるほどではない。「自由に、きままに！」と、その自律性は担保されているようです。

もう一つは、どちらに進もうとするのか、どのようなスピードで歩けばいいのか。相手に半ば委ねることが出来、すべての判断を自分の中で囲い込む必要がないのです。あまり気を配ることなく、ただ相手に合わせていればいい……というわけで、ちょっと「エコ」な気分も味わえます。小さな子どもの判断に委ねてみたり、ときには、子どもから頼られたりするって、とても嬉しいものです。

そこで、自分の身体が拡張された感覚やお互いが一体になった感覚も生まれるのではないでしょうか。相手の気持ちを察するということは、相手の志向を自分の中に住まわせることでもあります。あるいは、相手の振舞いに自分の身体を重ねている。こうした「なり込みあう関係」が生まれると、「自他非分離の関係」といって、自分の身体なのか、相手の身体なのか、わからなくなる。「あなた(you)」と「わたし(I)」との関係ではなく、「わたしたち(we)」として振る舞っているようなのです。

このようなモードのことを、認知科学の分野では「we-mode」と呼んでいます。二人の間でゴールを共有しあい、お互いに貢献しあう。そうしたときに生まれる「一体感」のことを指しています。

先の「注文をまちがえる料理店」でも、スタッフたちの「弱さ」をさらけ出すことで、「お店の中のモードが一変することになった」と述べました。「料理を提供する人(you)」と「その料理を味わう人(I)」という立場の違いを越えて、「わたしたち(we)」として、その場を盛り立てよう、楽しんでしまおうということなのでしょう。

❁ロボットとの間で「なんだか、幸せ！」を生みだせないものか

佐伯胖先生の編著『「子どもがケアする世界」をケアする——保育における「二人称的アプローチ」入門』(ミネルヴァ書房、二〇一七年)によれば、「すべての人は、誰かをケアしないではいられない存在なのだ」といいます。

それは、〈自分をよく生かそうとする〉のではなく、〈自分以外の誰かをよく生かそうとする〉なかで、結果的に(自分が)よく生きることになる、と。これは人に限らず、ロボットが相手でも、当てはまるのではないでしょうか。

本書の第1章で、自らではゴミを拾えない〈ゴミ箱ロボット〉の世話をしながら、目を輝かせていた子どもたちの姿を紹介しました。〈自分以外の誰かをよく生かそう〉という気持ちとともに、〈みんなで心を一つに出来ていること〉によろこびを覚えていたのでしょう。

ここでは、コンヴィヴィアル(自立共生的)なかかわりを志向する、二つのタイプの〈弱いロボット〉を紹介してみたいと思います。

その一つは、一緒に手をつないで歩く〈マコのて〉と呼ばれているロボット(図5・1)です。

図5・1 一緒に手をつないで歩くだけの〈マコのて〉

「手をつないで歩くだけなら、手は一つでいいのでは……」

「一緒に歩くだけなら、二足歩行に拘らなくとも……」

「とりあえず、頭と胴体も一緒でいいか……」

こうして〈マコのて〉のデザインは、とてもシンプルなものとなりました。丸みのある四角い箱に目がついただけ。それは顔のようにもボディのようにも見えます。頭部からは、リンク機構で作られた腕と手が出ています。ホイールなどの移動機構は、ここでアピールする必要もありませんが、なんと「お掃除ロボット」からの借りものです。

その手をつかんで持ち上げてあげると、〈マコのて〉は、ヨタヨタと動き始めます。少し歩いては、ちょっと立ち止まり、またなにごともなかったように歩きだす……。ちょうど幼い子どもの手を引いて歩く感じでしょうか。手を引こうとすると、わずかに引き戻そうとする。それだけにもかかわらず、どこかつながりあった感じがするのです。

一緒に歩いてみると、ちょっと頼りないくらいがちょうどよさそうに思います。なにを考えているのか、どこに行きたいのか。思わず、ロボットの気持ちを探ろうと、その振舞いに自分の身体を重ねてしまうのです。ロボットも、人に対して、「どちらに行きたいのか」、「なにをしたいのか」を探ろうとする。こうして相互になり込みあう土壌が生まれるのです。もし、ロボットがわたしたちの手を引いて、前にぐんぐんと進もうというのでは、どこか気ぜわしいものになってしまいます。あるいは、モタモタした〈マコのて〉の手を一方的に引いて歩くのもなかなか厄介なことでしょう。

この〈マコのて〉は、センサーを用いて障害物を避けながら歩くことが出来ます。ただ、

「なんのために歩くのか」、「どこに向かって歩くべきか」を把握できていません。そんなときには、とりあえず「誰かと一緒に歩いてみたら?」とのアドバイスはありがたいものです。他の人と一緒に歩くという「制約」だけでも、自らの行動における選択肢の一部を狭めてくれるのです。

このことは、わたしたちにとっても同様でしょう。人は自らの判断で歩いていても、ロボット側の行動の一部を参照しつつ、次の行動を探ろうとする。ロボットと歩調をあわせるという「制約」によって、自らの行動の自由度(=選択肢)を減じることが出来ます。なにげなく歩くにせよ、「ここを歩いていていい」と肯定してくれる。それだけでも、すべてを自分で判断する必要がなくなり、ちょっとだけホッとするのです。

コンヴィヴィアリティやウェルビーイングの観点からは、〈マコのて〉とのかかわりはどのようなものでしょう。一緒に手をつないで歩く際にも、お互いの「自律性」はしっかりと担保されています。相手に合わせるという〈制約〉を感じつつも、一方的に行動を強いられてはいません。お互いの調整の中で「思うがまま、どこにでも行ける!」という自由な感覚が残されています。一人で歩くのとは違って、相手の存在はとても心強く感じます。〈マコのて〉も、ヨタヨタと歩きながら、こちらの判断を仰ぐように、ときどき立ち止まる。また手を引いてあげると安心したように歩きだす。子どもと一緒に歩いたときにも感じたように、「ロボットから頼られている」という感覚もまんざら悪いものではありません。「自分にもこんなやさしいところがあったんだぁ」と穏やかな気持ちにもなるのです。

そして〈マコのて〉とただ一緒に歩くときも、そこにつながり感や一体感が生まれます。お互いの歩調に気を配り、目の前の障害物を上手に避ける。そうした「なにかを共有しあえる」存在がそばに居てくれる。それだけで十分に嬉しくなるのです。お互いの主体性や創造性を奪うことなく、ゆるく依存しあう。これもコンヴィヴィアル(自立共生的な)なかかわりといえそうです。

✿ちょっとモノ忘れしてしまうロボットはどうか

手をつないで一緒に歩くような場面では、お互いは対峙《たいじ》しあうのではなく、むしろ並んでいます。目の前の状況を共有し、「we-mode」を生みだしやすいのです。これは、日常でのなにげないおしゃべりにも当てはまります。

「きのうのサッカーの試合は、すごかったね……」などと、昨日のサッカーのゲーム展開を思い出しながら、あるいはかつて観た映画の一場面を思い出しながら、みんなで盛り上がることも多いのではないでしょうか。その話題に対して、わたしたちは並んでいるのです。お互いの記憶の断片を辿《たど》りながら、みんなで補いあい、ある場面を再構成していくわけです。次の例は、第２章でもふれたクレイアートのアニメーションで知られる『ピングー』の一場面を思い出しながら、ＡさんとＢさんの二人が会話している様子です。

Ａ「まず、お母さんとピングーとピンガーが……」
Ｂ「が……」
Ａ「部屋に居てて、そしてお母さんが出かけることになって」
Ｂ「その前にお兄ちゃんが積み木で遊んでいたわけよ」
Ａ「あー、はいはい」
Ｂ「それで……」
Ａ「ちょっかいだそうとして」
Ｂ「まず、あれよ」
Ａ「あっ、投げ合いをして」
Ｂ「クルマ……」

A「クルマのおもちゃを投げ合いして」

B「うん」

A「その次に」

B「兄貴《あにき》が」

A「兄貴が」

B「弟の口の中を」

A「……かを」

B「見てやるっていって」

A「見て」

まずは、ピングーとピンガーとお母さんとが一緒に居る場面を「フレーム」として切り取り、共有するところから始まります。二人の間で「フレーム」が共有できると、「えっと、まずは……」「それで……」「そうしたら……」「その次に……」と、いくつかの時間的な順序を対応づけながら、お互いの記憶を補いあうわけです。

一緒に手をつないで公園の中を散歩するのと同じで、相手はその状況をどのように思っていたのか、いまなにを思い出そうとしているのか。お互いになり込みあいながら、相手の想起しようとする内容を探りあうのです。

このタイプの会話は、「共同想起対話」と呼ばれて研究されてきました。二人の間で発話をキャッチボールするのではなく、お互いの発話をなぞったり、発話の一部を引き取り、補いあいながら、一緒に一つの発話を作りあげようとするのです。二人が一緒に一つの発話を補いあいながら生みだすので「共話」とも呼ばれています。

こうした会話が日常的にも好まれるのは、やはり楽しいからなのではないでしょうか。コンヴィヴィアル(ここでは「共愉的」)なかかわりといえそうです。またウェルビーイングの議論に当てはめれば、「その会話にどのように参加してもよい」という気楽さ(＝自律性)、「その共同想起に参加し、少しは貢献できている」との有能感や達成感、そして「二人が一緒に「ゴール」を共有しあい、貢献しあう」という「we-mode」の状態にあること(＝関係性)、この三つの構成要素が揃っているようです。

ロボットとわたしたちの間でも、この「共同想起対話」を生みだせないものでしょうか。まだ、その試みは途上にありますが、そんな議論の中から生まれたのは、子どもたちに昔話を語って聞かせるも、ときどき大切な言葉をモノ忘れしてしまう〈トーキング・ボーンズ〉です(図5・2)。

「むかしむかし、あるところにね」

「えーと、おじいさんとおばあさんがいました」

「おじいさんは山に柴刈りに、おばあさんは川に……」

「えっと、なんだっけ？　なにをしに行ったんだっけ……」

「えっとー」……

図5・2　大切な言葉をモノ忘れしてしまう〈トーキング・ボーンズ〉

ロボットがモノ忘れするというのも妙な話かもしれません。でも、「あれっ……」、「えーと、なんだっけ？」などと困った仕草をすると、まわりの子どもたちは目を輝かせて、手助けしようとします。そして、「せんたくにいったんじゃないの？」との手助けに、

「あっ、それだ！　それそれ！」

「せんたくにいったんだった」

「それでね、おばあさんは川にね、せんたくにいきました」

「すると川のなかなら、どんぶらこ、どんぶらこと……」

「あれっ、えーと、なにが流れてきたんだっけ？」

「スイカじゃなくて……えっと」……


このような〈トーキング・ボーンズ〉の頼りない語りを目の前にして、子どもたちも身を乗りだして、なんとかロボットの助けになろうとするのです。

「なにに困っているのか」、「なにを思い出そうとしているのか」と、ロボットの志向を自らの中に住まわせ、「ああでもない、こうでもない」と考えをめぐらします。ロボットと子どもたちとがその「忘却要素」をめぐって、お互いの志向を向けあい調整しあう、いわゆる「三項関係」における、「相互のなり込み」の場を作りあげるわけです。

子どもたちの間でも、その「忘却要素」をめぐって紛糾することがあります。〈トーキング・ボーンズ〉の「モモの中から……、あれっ、なにが出てきたんだっけ？」、「あか……」といったモノ忘れに対して、

「ももたろうじゃないの？」

「えっ、あかんぼうじゃない……」

「あかんぼう」

「ちがっ、ちがう……」

「ももたろう！」

「えっと……」

「あかんぼう……」

「あっ、あかちゃん！」

「あかちゃん！　それだ！」

（子どもたちの笑い）


桃の中から出てきた「あるもの」をめぐって、子どもたちの間でも二転三転したのですが、最終的には「あかちゃん！」ということで決着。みんなでホッと安堵し、そこで笑い声が起こったというわけです。

もし〈トーキング・ボーンズ〉が淡々と昔ばなしを読み聞かせるだけなら、子どもたちはすぐに退屈してしまうことでしょう。このロボット側の「へこみ」(＝記憶や想起の不完全なところ)が子どもたちの積極的なかかわりや強みを引き出すようなのです。

子どもたちも、昔ばなしの『桃太郎』を最後まで諳《そら》んじることは出来ないでしょう。子どもたちと〈トーキング・ボーンズ〉とは、お互いの〈弱いところ〉を補いながら、その〈強み〉を引き出しあうような、持ちつ持たれつの関係を生みだすのです。

ここで興味深いのは、拙《つたな》いロボットを相手にしているときの子どもたちの満足そうな表情です。手のかかるロボットの世話をしながら、「まんざら悪い気はしない」というように、どこか嬉しそうです。ここでも、「高機能なロボットによって利便性を提供する」との価値観を越えて、子どもたちに「自らの能力が十分に生かされ、生き生きした幸福感」、つまりウェルビーイングをもたらしているといえそうです。

子どもたちはロボットへの手助けを強いられているわけではありません。それと「ロボットのことを手助けできた」、「自分にも役立てることがあった」との有能感や達成感も得ていることでしょう。まわりの子どもたちとのつながり感や一体感も無視できないものです。このように、ときどきモノ忘れする〈トーキング・ボーンズ〉とのかかわりでも、子どもたちのウェルビーイングな状態を生みだす三つの要素が揃っているようです。

レジリエントな社会をどう作りあげていくか

さて、ここまで、「利便性の高いシステムは、わたしたちを本当に幸せなものとしているのか」について、「自立共生的な」「共愉的な」と訳されるコンヴィヴィアルなかかわり、そして「自らの能力が十分に生かされ、生き生きとした幸せな状態」にあるウェルビーイングの観点から見てきました。本章の最後では、「社会のしなやかさ」、つまり「レジリエントな社会」という観点から少し考えてみたいと思います。

利便性を追求してきたはずが、どうも違う……。どこか社会のレジリエンスが低下してしまった。「強さ」を目指していたはずなのに、それは意外にも脆《もろ》かった。そんな事例を目にすることも多くなっています。

たとえば、都心にあって職場にも近く、利便性の象徴でもある、高層のマンションなどはどうでしょう。省エネで環境にもやさしい、オール電化を謳うマンションや戸建てにあっては、電気さえあれば、炊飯も、調理も、冷暖房も、お風呂を沸かすことも出来るそうです。ガスの配管工事や給排気設備のための費用を抑えることが出来て、もっと手軽に購入できるものに……。経済的合理性の観点からは願ったり叶《かな》ったりなのでしょう。

ところがメリットばかりではなく、意外なところで、その「脆さ」、デメリットを露呈させました。大きな地震や水害等で、長時間にわたっての停電。高層階なのにエレベータが使えない。そして炊飯や調理も出来なくなりました。停電のために水道もストップし、お風呂もトイレも使えない。水洗トイレで水を流すにも、電気に頼っていたのです。計画停電があった地域では、決められた時間になると街灯も信号機の光もすべて消えて、お店も閉まってしまったそうです。

先の熊谷晋一郎先生の「自立するとは、むしろ依存先を増やし、分散させておくこと」の指摘とは、まさに逆の方向に歩んでいたようです。「電気」さえあれば「利便性」を損なうことはない、この判断がレジリエンスの低下を招いたわけです。

先の3・11の東日本大震災でも、大きな地震、津波、そして原子力発電所の全電源喪失《そうしつ》などにより、甚大な被害ばかりでなく、わたしたちにいろいろな教訓を残しました。

さまざまな想定をしていたにもかかわらず、「こればかりは想定外だった！」、そんな声をたくさん耳にしました。詳しいところまではわからないのですが、「発電所なのだから……」と、多くの制御《せいぎょ》システムは電気に頼っていたのでしょうか。全電源喪失という「想定外の事態」により、自らのシステムさえも制御できないという状況に陥ったのです。

また、〈〇〇してくれるシステム〉と〈〇〇してもらう人〉、お互いの間に線を引いた途端に、相手に対する要求水準をエスカレートさせてしまう。このことは、防災の分野にも当てはまるようです。

たとえば、防潮堤《ぼうちょうてい》は、沿岸住民を津波や高潮の被害から守るために重要な役割を果たしています。ところが防潮堤の存在ゆえに、住民の避難行動に遅れが生じやすく、その被害を拡大させやすいことも指摘されています。「あの防潮堤があるのだから、たぶん大丈夫！」と油断してしまうのでしょう。イリイチの指摘によれば「防潮堤の存在にいつの間にか隷属していた」わけです。

津波の被害に遭うたびに、「五mの防潮堤では心配だから、今度は七mにしよう！」とその要求をエスカレートさせてしまう。「もっと、もっと！」の要求に応えようと、国土強靱《きょうじん》化計画なども進められています。でも、こうした努力を続けては、いつか国も疲弊《ひへい》してしまいます。一方的な強靱化の流れは、むしろ柔軟性やレジリエンスを低下させているように思えるのです。

あの震災の最中にあって、一つ救いだったのは、この困難を多くの人たちの工夫でなんとか乗り越えようとしたことでした。全国にある原子力発電所を停止させた結果、電力事情がひっ迫し、人の命を守る病院も大変なことに……。そんなときに、苦肉の策として生まれたのが〈でんき予報〉です。「明日の電力供給は、ちょっと厳しいものに。このままでは計画停電が必要になるかも……」、いつもは寡黙《かもく》で裏方に徹していたはずの電力システムがなんと弱音を吐いたのです。

それをきっかけに、「えっ、そうなの？　どうすれば……」、「じゃ、ここの灯りは必要ないかな……」と、多くの人たちが工夫を始めました。「がんばれー、あとすこし！」と、ちょっと弱音を吐く電力システムが全国の人たちのやさしさや思いやりを引き出しました。

「わたしたちの生活を支えるインフラ」と「そういうものに支えられる人」、そうした垣根を越えて、みんなで工夫しあう。頑強なインフラに頼るだけでなく、あり合わせのもので、なんとか急場を凌《しの》ぐ。みんなの心が一つになれたようで、とても救われたのを覚えています。それは、「ここしばらく忘れかけていたものだった……」、そんな気がしたのです。

❁〈関係の中に埋め込まれる！〉という選択

わたしたち人や動物は、まわりの環境に埋め込まれた中で上手に生きてきました。これは「situated」とか「embedded」と表現されることがあります。

環境の変化に対して高度に適応できるように、冗長《じょうちょう》な自由度を備えた身体を選びとり、一方で、自分だけでは律しきれない冗長な自由度をまわりの制約を上手に生かしながら減じてきた。結果として、環境を味方にしながら、〈一つのシステム〉を作りあげる道を選んできたといえます。

このことは、本書の中で何度か登場してきた「お掃除ロボット」の振舞いを見ることで実感できるかもしれません。冗長な自由度を備えており、これを自分の中だけで律しようとはしない。わずかな自由度を残しておくことで、さまざまな部屋の形や障害物に柔軟に対応しています。

同時に、部屋の壁や障害物を上手に味方につけながら、部屋の中を上手にお掃除していたわけです。決して効率的なものではありませんが、とても柔軟でしなやかな方略に思えるのです。

ハサミと手との関係にも当てはまりそうです。わたしたちの手はさまざまなモノが使えるように、その進化の過程で冗長な自由度をもった筋骨格系を選びとってきました。自在に動かせる反面、自分で律するのも大変なくらいの自由度です。

しかし、ハサミを使うときには、その冗長な自由度はハサミの構造によって上手に制約されます。ハサミの刃の回転方向にくわえ、どこに親指を入れればいいのか、人差し指はどうか。そうした制約によって、適切な動きを生みだすことが出来ます。手の制御《せいぎょ》の一部をハサミに内在する制約によって手伝ってもらっているわけです。

一方で、わたしたちの手の中に埋め込まれる形で、ハサミにはモノを切る、刻む、断つという機能が発現してきたわけです。

それでも、ハサミを使うことに秀でた人もいれば、不得手な人もいます。「すべてを人の手に委ねるわけにはいかない！」というのでしょう。そこで自動的に動作するカッティングマシーンの登場です。

科学技術は、わたしたちの手の働きとハサミとの関係を分断してしまいました。ちょっと大げさでしょうか。お互いの「強み」をもちよれば簡単に出来ることも、へんな拘《こだわ》りがあって、なかなか協力しあえない。そのかかわりが分断されてしまうと、いままで関係の中に隠れていた「弱さ」があらわになってしまうのです。

このことは、わたしたちにも当てはまるものでしょう。「自分のことは自分で責任をもってね！」、これは自己責任論の考え方です。他の人に助けてもらうことに「壁」が生まれ、自分の中でなんとかしなければと考えてしまう。そこで、いままで見えていなかった「弱さ」があらわとなり、その結果生きづらさを抱えてしまう。これでは、コンヴィヴィアルなかかわりはなかなか作れないわけです。

では、どうしたらいいのか。それは、もうおわかりのことと思います。

あとがき

最後までお付きあいいただき、ありがとうございます。いかがでしたでしょうか。まえがきでは、わたしのドイツの出張でのちょっと情けない顚末《てんまつ》を紹介しました。インターネットにアクセスできずに、ドイツの街中でオロオロ……。帰りの便の欠航などの不運もかさなって、思わず凹《へこ》みそうになった。こうした失敗談を人に語るのは、なかなか照れくさいものですね。

いろいろと振り返ってみると、ここには書けないような話もまだまだあります。中学生の頃に、例の真空管アンプ作りに熱中して授業を疎《おろそ》かにしていたら、だんだん数学がよくわからなくなりました。そもそも、どうして因数分解をする必要があるのか……。

これは高校に進学してからもしばらく続いたのです。無理数とか、平方根とか、虚数《きょすう》とか……。「どうして虚数を二乗するとマイナス１になるのか。うー、とてもついていけない！」というわけです。数学の実力テストでは、一〇〇点満点のところ、たったの三点しか取れないこともありました。

それでも、ようやく大学に進学することが出来、今度は「どうなってしまうかわからないけれど……」と、ドキドキしながらもテニス部に入部してみました。でも、うまい人には全然かなわない！　それに練習、合宿、遠征ばかりが続き、次第に大学の授業が恋しくなってきたのです。そんなこともあって、合宿の合間に、いろいろな本を読み始めました。寺田寅彦、朝永振一郎、湯川秀樹など、明治から大正、昭和にかけて活躍した物理学者の随筆です。

そこで、たまたま「科学者とあたま」(寺田寅彦、昭和八年)の一節に出会いました。せっかくですので、その出だしの一部を紹介してみます。

私に親しいある老科学者がある日私に次のようなことを語って聞かせた。

「科学者になるには『あたま』がよくなくてはいけない」これはふつう世人の口にする一つの命題である。これはある意味ではほんとうだと思われる。しかし、一方でまた「科学者はあたまが悪くなくてはいけない」という命題も、ある意味ではやはりほんとうである。そうしてこの後のほうの命題は、それを指摘し解説する人が比較的少数である。

以下を概略するなら、「わかりきったことの中に、不可解な疑点を認め、せんめいに苦吟するということが科学者には、いっそう重要なことである。この点で、科学者はもっともっとのみ込みの悪い田舎者であり朴念仁でなければならない……」というのです。


「科学者はあたまが悪くなくてはいけない！」

「のみ込みの悪い田舎者であり、朴念仁かぁ……」

「えっ、これって、自分のこと？」

「自分にも、科学者になれるっていうこと？」


ほんとうに単純なものですね。でも、この言葉にいつも助けられてきました。そして、思えばいつもハプニングの連続でした。

先にも紹介したように、研究室の配属を決める際に、あえなくジャンケンで負けてしまい、たまたま、いまに続く「音声科学」の世界に出会いました。職場での人事異動も幸いして、「人工生命」の研究に出会ったり、雑貨屋さんの中をぶらぶらしていたら、「ゴミ箱ロボット」の原型となるランドリーバスケットを見つけたり……。なにごとも、こうした偶然の積み重ねなのだなぁと思います。

改めて考えれば、わたしたちはいろいろなところに〈弱さ〉を忍ばせているようです。一つは、「誰しも明日のことは見えない！」ということ。これって、なかなか大きな制約だと思います。いかんともしがたい。でも、「明日のことが簡単に見えてしまう！」のも考えものです。それがわからないからがんばれるわけです。明日のことが見えない、わからないというのは、一つの希望でもあると思うのです。

同様に、自分の顔は、自分の内側からは見えません。自分のことも、自分の中に閉じていては、なかなかわからない。いま繰り出そうとする発話の意味でさえ、自分の中で完結させることが出来ない。でも、それが「とりあえず動いてみる」、「一歩を踏み出してみる」、「とりあえず発話を繰り出してみる」ことの動因ともなっていたのです。めぐりめぐって、社会をも作り出してきました。

自らの中に閉じていたのでは、その〈弱さ〉は弱さでしかありません。ところが「どうなってしまうかわからないけれど……」と、そのか弱い一歩を踏み出してみる。そっと地面に委ねてみると、その地面が味方になってくれて、とても「しなやかな歩行」を生みだしていたのです。くわえて、とりあえずの一歩によって、目の前の風景がどんどんひろがり、思いもしない世界に導いてくれたのです。

このことは、わたしたちの身体や行為だけにとどまりません。アイディアとは呼べないような、未完成で暫定的《ざんていてき》なイメージも、自らの中に閉じていたのでは、ぼんやりとしたもので終わってしまうことでしょう。でも、そっと一歩を踏み出すように、それをほんの少し他の人にも開いてみると、思いがけない出会いを引き込んで、とても大切なアイディアとして育っていくのです。

わたしたちの研究活動なども、合理的で、計画的なイメージとはほど遠いものであり、あり合わせやよせ集め、すなわちブリコラージュの繰り返しのなかで、なんとか進化してきたようです。同様に、わたしたちの生命の進化なども、どこか行き当たりばったりで、いいとこ取りを繰り返しているだけなのかもしれません。

ひたすら完全無欠を目指すのか、それともまわりに半ば委ねつつ、まわりとの豊かな関係性を目指すのか……。実際には、それほど簡単に割り切れるような話ではないのでしょう。人生の節目にあっては、あるゴールをクリアしていくために、ひたすら完全無欠を目指し、そのことをアピールする必要もあるでしょう。自分を主張するには、「みんなと一緒に！」とか、「まわりに半ば委ねる」などと悠長には構えてはいられない。たしかに、そのような側面もあります。

ただ、「ひたすら完全無欠を目指すこと」だけではない、〈弱いロボット〉的思考とでも呼ぶような、もう一つのアプローチが存在することを、この機会にぜひ知っておいてほしいと思ったのです。それは「弱者の戦法」と呼ばれる、ちょっと情けない生き方かもしれませんが、ある意味ではしたたかさやしなやかさも兼ね備えたものなのです。

最後になりましたが、本書の中で紹介してきた〈弱いロボット〉たちは、筆者らの主宰する豊橋技術科学大学「インタラクションデザイン研究室(ICD-LAB)」の多くの学生たちとの協働の産物です。また、このような出版の機会を与えていただいた岩波書店ジュニア新書編集部の山下真智子さんに、改めてお礼を申し上げます。

岡田美智男

岡田美智男

1960年福島県生まれ．豊橋技術科学大学情報・知能工学系教授．東北大学大学院工学研究科博士後期課程修了，工学博士．NTT基礎研究所情報科学研究部，国際電気通信基礎技術研究所などを経て，2006年より現職．専門分野は，コミュニケーションの認知科学，社会的ロボティクス，ヒューマン・ロボットインタラクションなど．主な著書に，『ロボット　共生に向けたインタラクション』(東京大学出版会)，『〈弱いロボット〉の思考　わたし・身体・コミュニケーション』(講談社現代新書)，『弱いロボット』(医学書院)などがある．

〈弱いロボット〉から考える
—人・社会・生きること　　岩波ジュニア新書 989

2024年8月20日　第1刷発行

著　者　岡田美智男《おかだみちお》

発行者　坂本政謙

発行所　株式会社 岩波書店
〒101-8002 東京都千代田区一ツ橋 2-5-5
案内 03-5210-4000　営業部 03-5210-4111
ジュニア新書編集部 03-5210-4065
https://www.iwanami.co.jp/

印刷・精興社　製本・中永製本

ISBN 978-4-00-500989-3　　Printed in Japan

岩波ジュニア新書の発足に際して

きみたち若い世代は人生の出発点に立っています。きみたちの未来は大きな可能性に満ち、陽春の日のようにひかり輝いています。勉学に体力づくりに、明るくはつらつとした日々を送っていることでしょう。

しかしながら、現代の社会は、また、さまざまな矛盾をはらんでいます。営々として築かれた人類の歴史のなかで、幾千億の先達《せんだつ》たちの英知と努力によって、未知が究明され、人類の進歩がもたらされ、大きく文化として蓄積されてきました。にもかかわらず現代は、核戦争による人類絶滅の危機、貧富の差をはじめとするさまざまな人間的不平等、社会と科学の発展が一方においてもたらした環境の破壊、エネルギーや食糧問題の不安等々、来るべき二十一世紀を前にして、解決を迫られているたくさんの大きな課題がひしめいています。現実の世界はきわめて厳しく、人類の平和と発展のためには、きみたちの新しい英知と真摯《しんし》な努力が切実に必要とされています。

きみたちの前途には、こうした人類の明日の運命が託されています。ですから、たとえば現在の学校で生じているささいな「学力」の差、あるいは家庭環境などによる条件の違いにとらわれて、自分の将来を見限ったりはしないでほしいと思います。個々人の能力とか才能は、いつどこで開花するか計り知れないものがありますし、努力と鍛練の積み重ねの上にこそ切り開かれるものですから、簡単に可能性を放棄したり、容易に「現実」と妥協したりすることのないようにと願っています。

わたしたちは、これから人生を歩むきみたちが、生きることのほんとうの意味を問い、大きく明日をひらくことを心から期待して、ここに新たに岩波ジュニア新書を創刊します。現実に立ち向かうために必要とする知性、豊かな感性と想像力を、きみたちが自らのなかに育てるのに役立ててもらえるよう、すぐれた執筆者による適切な話題を、豊富な写真や挿絵とともに書き下ろしで提供します。若い世代の良き話し相手として、このシリーズを注目してください。わたしたちもまた、きみたちの明日に刮目《かつもく》しています。(一九七九年六月)

936 ゲッチョ先生と行く 沖縄自然探検 盛口満

沖縄島、与那国島、石垣島、西表島、宮古島を中心に、様々な生き物や島の文化を、著名な博物学者がご案内！ 〔図版多数〕

937 食べものから学ぶ世界史 ―人も自然も壊さない経済とは？ 平賀緑

食べものから「資本主義」を解き明かす！産業革命、戦争…。食べものを「商品」に変えた経済の歴史を紹介。

938 国語をめぐる冒険 渡部泰明・平野多恵・出口智之・田中洋美・仲島ひとみ

世界へ一歩踏み出せば、新しい出会いと成長への機会が待っています。国語を使ってどう生きるか、冒険をモチーフに語ります。

940 俳句のきた道 芭蕉・蕪村・一茶 藤田真一

古典を知れば、俳句がますますおもしろくなる！ 個性ゆたかな三俳人の、名句と人生、俳句の心をたっぷり味わえる一冊。

941 AIの時代を生きる ―未来をデザインする創造力と共感力 美馬のゆり

人とAIの未来はどうあるべきか。「創造力と共感力」をキーワードに、よりよい未来のつくり方を語ります。

942 親を頼らないで生きるヒント ―家族のことで悩んでいるあなたへ コイケ ジュンコ NPO法人ブリッジフォースマイル協力

虐待やヤングケアラー…、子どもはどのようにSOSを出せばよいのか。社会的養護のもとで育った当事者たちの声を紹介。

943
数理の窓から世界を読みとく
―素数・AI・生物・宇宙をつなぐ
初田哲男
柴藤亮介 編著

数学を使いさまざまな事象を理論的に解明する方法、数理。若手研究者たちが数理を共通言語に、瑞々しい感性で研究を語る。

944
自分を変えたい
―殻を破るためのヒント
宮武久佳

いつも同じメンバーと同じ話題。親に勧められた大学に進学し、楽勝科目で単位を稼ぐ。ずっとこのままでいいのかなあ？

945
ヨーロッパ史入門
原形から近代への胎動
池上俊一

古代ギリシャ・ローマから、文化的統合体としてのヨーロッパの成立、ルネサンスや宗教改革を経て、一七世紀末までを俯瞰。

946
ヨーロッパ史入門
市民革命から現代へ
池上俊一

近代国家の成立や新しい思想の誕生、二度の大戦、アメリカや中国の台頭。「古い大陸」ヨーロッパがたどった近現代を考察。

947
〈読む〉という冒険
イギリス
児童文学の森へ
佐藤和哉

アリス、プーさん、ナルニア……名作たちは、本当は何を語っている？「冒険」する読みかた、体験してみませんか。

948
私たちのサステイナビリティ
―まもり、つくり、次世代につなげる
工藤尚悟

「サステイナビリティ」とは何かを、気鋭の研究者が、若い世代に向けて、具体例を交えわかりやすく解説する。

949 進化の謎をとく発生学
―恐竜も鳥エンハンサーを使っていたか
田村宏治
進化しているのは形ではなく形作り。キーワードは、「エンハンサー」です。進化発生学をもとに、進化の謎に迫ります。

950 漢字ハカセ、研究者になる
笹原宏之
著名な「漢字博士」の著者が、当て字、国字、異体字など様々な漢字にまつわるエピソードを交えて語った、漢字研究者への成長記。

951 作家たちの17歳
千葉俊二
太宰も、賢治も、芥川も、漱石も、まだ「文豪」じゃなかった――十代のころ、彼らは何に悩み、何を決意していたのか？

952 ひらめき！英語迷言教室
―ジョークのオチを考えよう
右田邦雄
ユーモアあふれる英語迷言やひねりのきいたジョークのオチを考えよう！　笑いながら英語力がアップする英語トレーニング。

953 大絶滅は、また起きるのか？
高橋瑞樹
生物たちの大絶滅が進行中？　過去五度あった大絶滅とは？　絶滅とはどういうことでなぜ問題なのか、様々な生物を例に解説。

954 いま、この惑星で起きていること
気象予報士の眼に映る世界
森さやか
世界各地で観測される異常気象を気象予報士の立場で解説し、今後を考察する。雑誌『世界』で大好評の連載をまとめた一冊。

955 世界の神話 躍動する女神たち　沖田瑞穂

強い、怖い、ただでは起きない、変わってる⁉ 世界の神話や昔話から、おしとやかなイメージをくつがえす女神たちを紹介！

956 16テーマで知る 鎌倉武士の生活　西田友広

鎌倉武士はどのような人々だったのでしょうか？ 食生活や服装、住居、武芸、恋愛など様々な視点からその姿を描きます。

957 〝正しい〟を疑え！　真山 仁

不安と不信が蔓延する社会において、自分を信じて自分らしく生きるためには何が必要なのか？ 人気作家による特別書下ろし。

958 津田梅子―女子教育を拓く　髙橋裕子

日本の女子教育の道を拓き、シスターフッドを体現した津田梅子の足跡を、最新の研究成果・豊富な資料をもとに解説する。

959 学び合い、発信する技術―アカデミックスキルの基礎　林 直亨

アカデミックスキルはすべての知的活動の基盤。対話、プレゼン、ライティング、リーディングの基礎をやさしく解説します。

960 読解力をきたえる英語名文30　行方昭夫

英語力の基本は「読む力」。先生と生徒の対話形式で、新聞コラムや小説など、とっておきの例文30題の読解と和訳に挑戦！

961 森鷗外、自分を探す　出口智之

文豪で偉い軍医の天才？　激動の時代の感覚に立って作品や資料を読み解けば、自分探しに悩む鷗外の姿が見えてくる。

962 巨大おけを絶やすな！　―日本の食文化を未来へつなぐ　竹内早希子

しょうゆ、みそ、酒を仕込む、巨大な木おけ。途絶えかけた大おけづくりをつなぎ、その輪を全国に広げた奇跡の奮闘記！

963 10代が考えるウクライナ戦争　岩波ジュニア新書編集部編

この戦争を若い世代はどう受け止めているのでしょうか。高校生達の率直な声を聞き、平和について共に考える一冊です。

964 ネット情報におぼれない学び方　梅澤貴典

新しい時代の学びに即した情報の探し方や使い方、更にはアウトプットの方法を図書館司書の立場からアドバイスします。

965 10代の悩みに効くマンガ、あります！　トミヤマユキコ

悩み多き10代を多種多様なマンガを通してお助けします。萎縮したこころとからだがふわっと軽くなること間違いなしの一冊。

966 新種発見物語　―足元から深海まで11人の研究者が行く！　島野智之　脇　司　編著

虫、魚、貝、鳥、植物、菌など未知の生物の探究にワクワクしながら、分類学の基礎も楽しく身につく、濃厚な入門書。

967 核のごみをどうするか
―もう一つの原発問題
今田高俊・寿楽浩太・中澤高師
原子力発電によって生じる「高レベル放射性廃棄物」をどのように処分すればよいのか。問題解決への道を探る。

968 扉をひらく哲学
―人生の鍵は古典のなかにある
中島隆博・梶原三恵子・納富信留・吉水千鶴子 編著
親との関係、勉強する意味、本当の自分とは?……人生の疑問に、古今東西の書物をひもといて、11人の古典研究者が答えます。

969 在来植物の多様性がカギになる
―日本らしい自然を守りたい
根本正之
日本らしい自然を守るにはどうしたらいい? 在来植物を保全する方法は? 自身の保全活動をふまえ、今後を展望する。

970 知りたい気持ちに火をつけろ!
―探究学習は学校図書館におまかせ
木下通子
レポートの資料を探す、データベースで情報検索する……、授業と連携する学校図書館の活用法を紹介します。

971 世界が広がる英文読解
田中健一
英文法は、新しい世界への入り口です。楽しく読む基礎とコツ、教えます。英語力不問、この1冊からはじめよう!

972 都市のくらしと野生動物の未来
高槻成紀
野生動物の本当の姿や生き物同士のつながりを知る機会が減った今。正しく知ることの大切さを、ベテラン生態学者が語ります。

973 ボクの故郷は戦場になった
―樺太の戦争、そしてウクライナへ
重延 浩
1945年8月、ソ連軍が侵攻を開始し、のどかで美しい島は戦場と化した。少年が見た戦争とはどのようなものだったのか。

974 源氏物語入門
高木和子
日本の古典の代表か、色好みの男の恋愛遍歴か。『源氏物語』って、一体何が面白いの？ 千年生きる物語の魅力へようこそ。

975 「よく見る人」と「よく聴く人」
―共生のためのコミュニケーション手法
広瀬浩二郎
相良啓子
目が見えない研究者と耳が聞こえない研究者が、互いの違いを越えてわかり合うためコミュニケーションの可能性を考える。

976 平安のステキな！女性作家たち
川村裕子
早川圭子絵
紫式部、清少納言、和泉式部、道綱母、孝標女。作品の執筆背景や作家同士の関係も解説。ハートを感じる！王朝文学入門書。

977 国連で働く
―世界を支える仕事
植木安弘編著
平和構築や開発支援の活動に長く携わってきた10名が、自らの経験をたどりながら国連の仕事について語ります。

978 農はいのちをつなぐ
宇根 豊
生きものの「いのち」と私たちの「いのち」はつながっている。それを支える「農」とは何かを、いのちが集う田んぼで考える。

979
10代のうちに考えておきたいジェンダーの話
堀内かおる

10代が直面するジェンダーの問題を、未来に向けて具体例から考察。自分ゴトとして考えた先に、多様性を認め合う社会がある。

980
食べものから学ぶ現代社会
—私たちを動かす資本主義のカラクリ
平賀　緑

食べものから、現代社会のグローバル化、巨大企業、金融化、技術革新を読み解く。『食べものから学ぶ世界史』第2弾。

981
原発事故、ひとりひとりの記憶
—3・11から今に続くこと
吉田千亜

3・11以来、福島と東京を往復し、人々の声に耳を傾け、寄り添ってきた著者が、今に続く日々を生きる18人の道のりを伝える。

982
縄文時代を解き明かす
—考古学の新たな挑戦
阿部芳郎 編著

人類学、動物学、植物学など異なる分野と力を合わせ、考古学は進化している。第一線の研究者たちが縄文時代の扉を開く!

983
翻訳に挑戦! 名作の英語にふれる
河島弘美

he や she を全部は訳さない? この人物は「僕」か「おれ」か? 8つの名作文学で翻訳の最初の一歩を体験してみよう!

984
SDGsから考える世界の食料問題
小沼廣幸

アジアなどで長年、食料問題と向き合い、今も邁進する著者が、飢餓人口ゼロに向け、SDGsの視点から課題と解決策を提言。